Reconnaître et combattre les allergies chez l'enfant

Docteur Pierrick Hordé

Reconnaître et combattre les allergies chez l'enfant

Flammarion

ISBN : 2-0820-0738-3
Dépôt légal : avril 2002
N° d'éditeur : FT 0738

Sommaire

Avant-propos

Toutes les études confirment aujourd'hui l'augmentation préoccupante du nombre de personnes allergiques. En effet, 20 à 25 % de la population seraient touchés, et certains experts affirment même que, dans dix ans, un Français sur deux sera concerné par les maladies allergiques, qui ne cessent de gagner du terrain. En vingt ans, ces dernières sont passées, selon l'OMS, du sixième au quatrième rang mondial des pathologies, devenant ainsi un véritable problème de santé publique.

Les enfants sont les plus exposés et les plus touchés. Malheureusement, la grande majorité des enfants allergiques ne sont pas diagnostiqués suffisamment tôt en tant que tels. Il en résulte une mise en place trop tardive des traitements, ce qui permet à la maladie d'évoluer vers des formes plus sévères et de persister à l'âge adulte.

Souvent, les manifestations allergiques ne sont pas suffisamment prises au sérieux. Ainsi, de nombreux parents ignorent encore aujourd'hui qu'un enfant qui présente des rhinopharyngites à répétition, un eczéma ou des épisodes de toux chroniques risque de développer un asthme d'origine allergique.

Arrêtons de considérer ces affections comme des pathologies mineures, sans conséquence grave. « Tout le monde est allergique maintenant », entendons-nous quotidiennement sur un mode ironique, comme s'il s'agissait d'une maladie peu importante.

Or, l'allergie est une véritable maladie. Ses manifestations récurrentes perturbent les enfants dans leur vie quotidienne ; elles peuvent constituer un réel handicap, voire se révéler dangereuses : les urgences allergiques ont d'ailleurs été multipliées par cinq au cours de ces dernières années. Pourtant, les méthodes de dépistage et le traitement des maladies allergiques ont énormément progressé. Mais la pratique de la médecine est devenue de plus en plus complexe, et sans esprit polémique, il faut reconnaître qu'il est difficile, pour un généraliste ou un pédiatre en raison de leur emploi du temps surchargé, de se tenir parfaitement informé et de suivre correctement l'évolution de toutes les pathologies. Par ailleurs, la formation continue du corps médical entre autre dans le domaine de l'allergie reste tout à fait insuffisante. Mais les faits sont là, notamment en France, l'allergie est une maladie trop souvent sous-diagnostiquée et sous-traitée.

Cet ouvrage s'est fixé pour but d'aider les parents à repérer les premières manifestations allergiques de leur enfant, ainsi que de les informer sur les solutions existantes, les mesures de prévention et les traitements, afin d'empêcher la maladie d'évoluer vers une forme plus sévère. Un enfant allergique peut bénéficier d'un bilan et de tests cutanés dès les premiers mois de sa vie, et la désensibilisation, recommandée par l'OMS, demeure le seul traitement préventif et curatif de certaines affections – la voie sublinguale est particulièrement adaptée aux enfants. Ce livre permettra également de découvrir le rôle du médecin allergologue, encore beaucoup trop méconnu. Véritable sentinelle de l'environnement, celui-ci peut contribuer à la guérison des enfants allergiques.

Le cas échéant, les parents ne doivent pas hésiter à demander à leur médecin traitant un bilan allergologique. Le dépistage et la prise en charge des enfants allergiques sont aujourd'hui une priorité qui nécessite une étroite collaboration entre tous les acteurs de la santé, et plus particulièrement entre les médecins généralistes, les pédiatres et les allergologues.

Introduction

LA PROGRESSION DES ALLERGIES

Le développement de notre société industrielle a profondément modifié notre environnement. L'explosion des maladies allergiques est probablement en grande partie liée à cette transformation, mais ce n'est qu'aujourd'hui que nous en réalisons l'ampleur. Différents facteurs expliquent la recrudescence de ces pathologies.

Il y a quelques années, les Bédouins du Sahara ne connaissaient pas l'allergie aux acariens. Mais l'introduction de literies occidentales a modifié leur mode de vie et s'est traduite par une augmentation importante du nombre de pathologies.

1 ***L'habitat*** : les logements urbains exigus, calfeutrés, trop chauffés et insuffisamment aérés permettent aux acariens, pires ennemis des allergiques, de se développer (les draps pendus aux fenêtres des années cinquante témoignaient d'une aération plus efficace des logements). Les animaux domestiques, les plantes vertes exposent de nombreuses personnes à de multiples allergènes.

2 ***La pollution*** : en vingt ans, le trafic routier a doublé. En 1970, on comptait 270 voitures pour 1000 habitants ; aujourd'hui, il y en a plus de 400 ! La pollution qui en résulte joue un rôle non négligeable dans l'augmentation du nombre d'allergiques.

3 ***Les pollens*** : il y a trente ans, l'allergie au pollen de cyprès touchait peu de personnes. Depuis, on a planté (particulièrement dans le Midi) de nombreuses haies de cyprès – arbres bon marché et de croissance rapide –, ce qui provoque en hiver, à l'époque de la pollinisation de cette espèce, une nette augmentation du nombre d'allergies.

4 ***L'alimentation*** : l'industrialisation et la standardisation, la diversification des protéines offertes à la consommation, les modes de préparation et de conservation des plats, la découverte des cuisines exotiques (antillaise, chinoise, mexicaine...) ont fait apparaître des nouveaux allergènes, multipliant par quatre le nombre de victimes des

allergies alimentaires. En outre, la diversification alimentaire très précoce, conseillée pendant des années, a exposé les bébés à de nombreux allergènes.

La réunification de l'Allemagne a été l'occasion d'étudier l'impact des facteurs écologiques, environnementaux et socioculturels sur les maladies allergiques. Avant la chute du mur de Berlin, de nombreux experts pensaient que les Allemands de l'Est, qui vivaient dans des zones industrialisées et polluées, étaient plus allergiques que les Allemands de l'Ouest. Mais des études ont au contraire démontré que les habitants de l'Ouest, qui jouissaient d'un niveau de vie socio-économique plus élevé, étaient les plus touchés. Dix ans plus tard, d'autres études ont révélé que les habitants de l'ex-Allemagne de l'Est étaient devenus aussi allergiques que leurs compatriotes de l'Ouest : l'isolation plus efficace des appartements, de mieux en mieux chauffés, la présence de tapis et de moquettes, le développement de la circulation automobile, l'introduction de nouveaux produits chimiques (lessives, détergents, cosmétiques...), ainsi que l'apparition de modes d'alimentation différents les avaient exposés à de nombreux allergènes. Plus l'éventail des produits de consommation augmentait, plus le risque allergique augmentait : en dix ans, les Allemands de L'Est connaissaient ce que nous avions vécu en trente ans.

L'HYPOTHÈSE HYGIÉNISTE

L'hypothèse récente d'un effet protecteur des infections survenant pendant les premiers mois de la vie est actuellement fortement évoquée, même si elle est parfois encore contestée. Plusieurs études ont en effet démontré que la prévalence des allergies est moins importante chez les enfants vivant dans une famille nombreuse et s'infectant plus souvent. L'amélioration des conditions d'hygiène, l'utilisation trop fréquente des antibiotiques, une plus grande médicalisation, les progrès de la vaccination et la diminution des infections chez les enfants auraient une responsabilité dans l'explosion des maladies allergiques.

LES MÉCANISMES DE LA RÉACTION ALLERGIQUE

Le système immunitaire

Notre système immunitaire nous protège des agressions des agents infectieux, comme les bactéries, les virus ou les parasites. Il a pour tâche d'identifier les substances nocives qui s'introduisent dans l'organisme, tels que les virus, appelés « antigènes », puis de les éliminer. Les « agresseurs » sont inscrits dans la mémoire immunitaire grâce aux anticorps fabriqués spécifiquement pour lutter contre eux. En cas d'attaque ultérieure, l'organisme reconnaît immédiatement les intrus, et les anticorps les combattent et les éliminent. Ce mécanisme immunologique permet à l'organisme de se défendre contre les maladies infectieuses.

La vaccination repose sur le même principe : le virus inactivé ou en quantité trop faible pour provoquer la maladie est introduit dans l'organisme, afin de stimuler les globules blancs qui garderont en mémoire l'antigène vaccinal. En clair, les antigènes de virus entraînent la fabrication d'anticorps spécifiques qui permettent de lutter contre une agression virale ultérieure.

Qu'est-ce qu'une allergie ?
Le mot « allergie » vient des mots grecs *allos*, « autre », et *ergon*, « action », et signifie donc « réaction différente ». Les personnes allergiques ne réagissent pas comme les autres. Elles « suréagissent » au contact de substances, habituellement bien tolérées, qu'elles respirent, touchent ou avalent. Ainsi, leur organisme considère comme des agresseurs (antigènes) les acariens, les pollens, les animaux, etc. Leur système immunitaire se dérègle et génère une réaction de défense exagérée et inadaptée.

À savoir
Certaines personnes développent soudainement une allergie à leur chat, qu'elles côtoient pourtant depuis plusieurs années. Elles ont donc beaucoup de mal à accepter que les manifestations allergiques dont elles sont l'objet soient dues à leur chat auquel elles s'étaient habituées sans jamais ressentir de gêne particulière.

La réaction allergique

Première phase

La réaction allergique la plus fréquente se déroule en deux temps. Lors du premier contact, l'allergène (pollen, par exemple) pénètre dans l'organisme. Le système immunitaire réagit. Des cellules particulières, les macrophages, stimulent les globules blancs, les lymphocytes B et T, qui produisent les anticorps spécifiques de l'allergène, les immunoglobulines E (IgE) : c'est la phase de sensibilisation, pendant laquelle aucune réaction extérieure n'est visible. Cet épisode est gardé en mémoire pendant quelques semaines ou plusieurs années.

Deuxième phase

Lorsque l'agent allergène entre à nouveau en contact avec l'organisme, il s'accroche aux anticorps préalablement

Manifestations provoquées par les allergènes

L'allergie peut se manifester plus ou moins intensément et concerner différents organes. Toutes les parties du corps peuvent être touchées, isolément ou en association, mais celles qui sont en contact avec l'extérieur (nez, bronches, yeux, peau...) sont bien sûr particulièrement exposées :

- *nez* : écoulements, démangeaisons, obstruction ;
- *yeux* : larmoiement, démangeaisons, rougeurs ;
- *bronches* : gêne respiratoire (toux, essoufflement, crise d'asthme) ;
- *peau* : eczéma, urticaire, œdème de Quincke ;
- *tous les organes* : le choc anaphylactique est la réaction allergique la plus sévère. Il résulte d'un conflit allergique généralisé à tous les tissus de l'organisme (voir page 103).

fabriqués. Les cellules auxquelles il se fixe explosent et libèrent des substances toxiques, les médiateurs. L'histamine, l'un des premiers médiateurs identifiés, provoque une réaction inflammatoire quelques minutes après la rencontre avec l'allergène. D'autres médiateurs amplifient et prolongent cette réaction pendant plusieurs heures (réaction inflammatoire tardive ou secondaire). Les deux types de réaction se succèdent, l'inflammation devenant permanente, chronique, persistant même parfois en dehors du contact avec l'allergène.

À savoir
Une personne sensibilisée peut manifester une réaction plusieurs heures après le contact avec un allergène. Ainsi, si elle a respiré le pollen auquel elle est allergique l'après-midi, elle peut n'être gênée que la nuit suivante.

ALLERGIE ET HÉRÉDITÉ

Les allergies touchent plus particulièrement certains enfants, prédisposés à développer ce type de maladie. Ces enfants, dits « atopiques », fabriquent de grandes quantités d'anticorps dirigés contre certains allergènes. Leur sensibilisation se trouve inscrite dans leur patrimoine génétique, transmis par leurs parents par l'intermédiaire de leurs chromosomes. À leur tour, ces enfants devenus adultes transmettront l'anomalie à leurs descendants.
Un enfant atopique peut ne pas développer systématiquement de maladie allergique. Mais plus les mesures de prévention seront mises en œuvre précocement, et moins l'enfant risquera de présenter de manifestations aller-

Risques pour un enfant de devenir allergique

Si la mère est allergique, le risque est de 30 à 40 %.
Si le père est allergique, le risque est de 30 %
Si les deux parents sont allergiques, le risque est de 70 à 80 %.
Si un oncle ou une tante est allergique, le risque est de 20 %.

Attention !
Il est indispensable de rechercher une éventuelle atopie familiale chez un enfant présentant des manifestations chroniques (rhinopharyngites à répétition, épisodes de toux chroniques, crise d'asthme, urticaire, eczéma). Un bilan allergologique permettra d'identifier l'allergène responsable et de débuter rapidement un traitement adapté.

giques. Par ailleurs, on constate une augmentation du nombre d'enfants et d'adultes allergiques n'ayant aucun terrain atopique. Aujourd'hui, toute personne peut devenir allergique.

LA CONSULTATION CHEZ L'ALLERGOLOGUE

La récidive et la chronicité de certains symptômes et maladies depuis plusieurs mois ou années doivent alerter les parents sur une éventuelle allergie, et cela d'autant plus que l'enfant fait partie d'une famille atopique. Les manifestations qui doivent faire soupçonner une origine allergique sont les rhinopharyngites, bronchites, bronchiolites, éternuements, otites, angines, laryngites... à répétition ; une toux fréquente, nocturne, ou lorsque l'enfant joue, s'énerve, court ; des crises d'urticaire ou d'eczéma, un choc anaphylactique. Le recours trop fréquent à des antibiotiques peut également témoigner d'une allergie mal diagnostiquée.

La nécessité de consulter

La consultation d'un médecin allergologue est une démarche encore trop rarement effectuée, alors que 20 % de la population française sont concernées par les maladies allergiques qui occupent, rappelons-le, le quatrième rang mondial des pathologies, selon l'OMS.

Conseil

Des manifestations chroniques évoluant depuis plusieurs mois chez un enfant à terrain atopique devraient systématiquement déboucher sur un bilan allergologique, afin de rechercher les éventuels allergènes responsables des symptômes observés.

Les enfants allergiques pris en charge correctement constituent une minorité. Les autres n'ont jamais vu d'allergologue ou font un bilan trop tardivement.

Les parents qui se présentent à la consultation ont souvent effectué un véritable parcours du combattant avant d'arriver chez le spécialiste – sur les conseils d'une amie, d'une voisine, d'un enseignant, ou après une émission de télévision ou de radio, ou encore après avoir lu un article sur le sujet... Seuls 10 % des enfants que je reçois moi-même en consultation (et cela depuis bientôt vingt ans) me sont adressés par leur médecin généraliste !

Pourtant, la consultation d'un médecin allergologue débouche, la plupart du temps, sur des traitements ou des mesures de prévention très efficaces, et nombreux sont les parents qui s'étonnent alors que leur praticien habituel ne les ait pas rapidement orientés vers l'interlocuteur compétent. Afin d'éviter d'inutiles appréhensions, précisons tout de suite que la consultation d'un médecin allergologue est prise en charge par la caisse d'assurance maladie et que les tests effectués ne sont pas douloureux pour l'enfant.

L'interrogatoire

Clé de voûte de la première consultation, l'interrogatoire est absolument indispensable. Il doit se dérouler dans un climat de confiance, même si le médecin semble parfois un peu inquisiteur. En effet, ses questions précises, rigoureuses vont lui permettre de connaître l'environnement et le mode de vie du patient, d'évaluer la gravité des manifestations, de situer dans le temps le début des symptômes, de préciser les facteurs d'amélioration ou d'aggravation (les symptômes apparaissent-ils à n'importe quel moment de l'année ou seulement au printemps, plutôt en semaine ou le week-end, n'importe où ou dans telle maison... ?), de rechercher d'éventuels antécédents familiaux, etc.

Attention !
Il n'y a pas d'âge pour pratiquer des tests cutanés. Ceux-ci peuvent être effectués dès la naissance, contrairement à cette idée reçue, trop souvent entendue, qui veut qu'on ne puisse pas faire de tests avant l'âge de 6 ans.

Pour faciliter la tâche du médecin, les parents doivent décrire de façon très minutieuse l'environnement de l'enfant (présence de moquette, tapis ou tissu mural, plumes, humidité, animaux, plantes..., température des pièces, etc.), les lieux où il vit (maison, école, appartement de la gardienne ou des grands-parents, lieu de vacances, etc.) ses déplacements, ses loisirs, ses habitudes alimentaires...
L'interrogatoire est complété par un examen de l'enfant : peau, nez, gorge...

Les tests cutanés

Les tests cutanés pratiqués lors de la consultation par le médecin allergologue sont faciles à effectuer, rapides, peu douloureux et fiables ; ils permettent de confirmer, dans la majorité des cas, la responsabilité du ou des allergènes. Une dizaine d'allergènes suffisent généralement à poser le diagnostic : acariens, pollens, poils de chat ou de chien, aliments, détergents.
Les tests sont effectués sur l'avant-bras ou le dos de l'enfant.
Il est nécessaire d'interrompre la prise de médicaments antihistaminiques quelques jours avant la séance.

Le déroulement des tests

Il s'agit le plus souvent de déposer une goutte d'extrait d'un allergène sur la peau, puis d'effectuer une petite scarification au même endroit, afin que la substance pénètre

À savoir
L'interrogatoire permet d'orienter le diagnostic et de choisir les allergènes qui seront utilisés pour les tests cutanés.

dans l'organisme. Si la réaction est positive, elle se traduit par l'apparition (généralement 15 à 20 minutes plus tard), d'un gonflement et d'une rougeur à l'endroit du test, accompagnés de démangeaisons.

La prise de sang

Lorsque le résultat des tests ne concorde pas avec les symptômes observés, il est parfois nécessaire d'effectuer un dosage sanguin des anticorps totaux ou des anticorps spécifiques d'un allergène donné, des IgE totales ou des IgE spécifiques.

Les autres examens

Le médecin peut demander à compléter ses investigations par une radio des poumons ou des sinus, des tests de provocation (afin d'identifier précisément un allergène alimentaire) ou une exploration fonctionnelle respiratoire (mesure du souffle).

Les responsables des allergies chez l'enfant

Les acariens

Les acariens sont l'ennemi public numéro 1 des enfants allergiques : ils sont à l'origine de la majorité des pathologies observées. Les combattre est donc une étape fondamentale de la prévention des maladies allergiques.
Les symptômes de l'allergie aux acariens évoluent tout au long de l'année : ils sont plus intenses pendant l'automne et l'hiver, périodes pendant lesquelles les habitations sont chauffées, moins aérées et plus confinées.

QU'EST-CE QU'UN ACARIEN ?

La poussière de l'habitation constitue le réservoir le plus important d'allergènes, parmi lesquels les acariens sont les mieux représentés.
L'acarien fait partie de la famille des arachnides, comme les araignées. Il n'est pas visible à l'œil nu, puisqu'il ne mesure pas plus de 0,30 mm. Observé au microscope, il ressemble à une petite araignée velue, dotée de quatre paires de pattes munies de poils et de griffes.

Quelques chiffres

- 1 g de poussière contient 4000 à 10000 acariens qui se nourrissent de 50 millions de squames cutanés (débris de peau) que notre corps sème chaque nuit.
- 0,25 g de squames suffisent à nourrir plusieurs millions d'acariens pendant trois mois.
- Dans nos contrées, les acariens se reproduisent essentiellement en automne et en hiver. Leur durée de vie est de six semaines environ.
- Chaque femelle pond 25 à 50 œufs toutes les trois semaines.
- Les débris d'acariens morts et les déjections sont les principaux responsables des manifestations allergiques.

Plus de 50000 variétés d'acariens ont été répertoriées. Deux d'entre elles se retrouvent dans la poussière domestique : le *Dermatophagoïdes* (« mangeur de peau », en grec) *pteronissimus* et le *Dermatophagoïdes* fariné.

OÙ EN TROUVE-T-ON ?

Les acariens se trouvent dans toutes les habitations, même les mieux entretenues. Ils ont besoin de chaleur (20 à 30 °C) et d'humidité pour se développer. Ils affectionnent principalement les tapis, les moquettes, les rideaux et tentures murales, les oreillers en plumes, les couvertures et les jouets en peluche.

Le matelas reste le principal réservoir : chaque nuit, près de 2 millions d'acariens y sont en contact avec le corps.

MANIFESTATIONS ALLERGIQUES PROVOQUÉES PAR LES ACARIENS

***La rhinite* :** écoulements du nez ou obstruction, éternuements fréquents.
***L'asthme* :** sifflements, toux fréquente, difficulté à respirer.
***La conjonctivite* :** yeux qui grattent, piquent ou larmoient.
***L'eczéma* :** lésions de la peau présentes au niveau des plis des genoux ou des coudes, et derrière les oreilles.

Ces manifestations peuvent survenir simultanément ou successivement. Elles ont la particularité d'évoluer tout au long de l'année, s'aggravant dès que le chauffage est mis en route.

Il est très fréquent que la rhinite et l'asthme se compliquent d'infections, s'accompagnant donc de rhinopharyngites, d'otites et de bronchites à répétition, pour lesquelles des antibiotiques sont trop souvent inutilement prescrits.

La répétition d'épisodes infectieux chez un enfant issu d'une famille à haut risque allergique doit impérativement conduire à un bilan allergologique.

CONSEILS POUR AMÉNAGER LA CHAMBRE D'UN ENFANT ET ÉVITER LA PROLIFÉRATION DES ACARIENS

1 ***Literie*** **:** ■ Évitez les oreillers et couettes en plumes, les couvertures en laine, difficilement lavables et véritables nids d'acariens. Préférez les matières synthétiques lavables en machine à haute température (60 °C).

2 ***Sommier*** **:** ■ Préférez un sommier à lattes de bois ou de métal.

3 ***Matelas*** **:** Préférez un matelas en coton. ■ Acheter un nouveau matelas n'est pas toujours utile, sauf s'il est très usagé, car il sera de nouveau colonisé par les acariens trois mois plus tard. En revanche, il est conseillé de le recouvrir d'une housse anti-acariens.

4 ***Murs*** **:** ■ Évitez les tissus muraux, les tentures et rideaux. La peinture reste le revêtement idéal, car les acariens ne peuvent s'y fixer. Le cas échéant, choisissez des rideaux légers et lavables à 60 °C.

5 ***Lits superposés*** **:** ■ Ne faites pas dormir l'enfant allergique dans le lit du bas. ■ Recouvrez chaque matelas d'une housse anti-acariens.

6 ***Penderies et placards*** **:** ■ Ils doivent être correctement fermés.

7 ***Sol*** **:** ■ Un revêtement lavable (carrelage, sol plastique) est conseillé. ■ Évitez les tapis, que les acariens affectionnent particulièrement. ■ La moquette pose un problème pour les jeunes enfants qui jouent dessus; toutefois, il n'est pas forcément nécessaire de la retirer : vérifiez son état d'infestation en pratiquant un Acarex Test, vendu en pharmacie. Ce test permet de mesurer la concentration en acariens dans la poussière recueillie. S'il est très positif, il faut se résoudre à remplacer la moquette par un autre revêtement.

Attention !
Le chauffage à air pulsé et l'air conditionné dispersent les poussières (et les acariens) dans l'air. Les canapés-lits peuvent difficilement être recouverts d'une housse anti-acariens et constituent de véritables réservoirs. Les litières des animaux domestiques sont souvent envahies par les acariens.

8 ***Jouets*** **:** ■ Ce sont surtout les peluches qui posent problème. ■ Limitez leur nombre et essayez d'éviter que votre enfant ne dorme avec elles. ■ Choisissez des modèles lavables à haute température. Pour plus de sécurité, une fois par mois, enveloppez les peluches dans un sac plastique et placez-les toute une nuit au congélateur : les acariens n'y résisteront pas !

CONSEILS POUR L'ENTRETIEN DE LA CHAMBRE

Voici quelques mesures qu'il est conseillé d'appliquer. Certaines sont un peu contraignantes, mais elles constituent ensemble un moyen sûr et efficace d'éviter le développement des acariens. Leur effet bénéfique peut toutefois ne se manifester qu'après plusieurs semaines.

1 Aérer la chambre régulièrement (1/2 heure à 1 heure chaque jour), hiver comme été.
2 Ne pas trop chauffer : 17 à 18 °C représentent la température idéale. De nombreux parents s'imaginent alors que leur enfant risque d'attraper froid et de s'infecter. Au contraire, ils doivent bien comprendre qu'une température trop élevée dans un appartement calfeutré favorise la prolifération des acariens et l'aggravation des symptômes.
3 L'hygrométrie (taux d'humidité de l'air) ne doit pas dépasser 60 %.
4 Laver oreillers et couvertures une fois par mois à la plus haute température possible, et les draps et taies d'oreillers toutes les semaines.
5 Passer l'aspirateur régulièrement, tous les jours si c'est possible. L'aspirateur doit posséder des filtres suffisamment efficaces, afin d'éviter que les acariens ne soient

rejetés dans l'air de la pièce : le filtre HEPA (« haute efficacité sur les particules aériennes ») permet d'éliminer le maximum d'acariens.

6 L'installation d'un épurateur peut être une sécurité supplémentaire si l'appareil est également équipé d'un filtre HEPA.

7 Choisir des draps, des couvertures, des oreillers et des couettes lavables en machine à très haute température.

8 Maintenir l'enfant allergique hors de sa chambre pendant le nettoyage et ne l'y laisser rentrer que deux heures après.

9 Passer régulièrement un chiffon *humide* sur les meubles, afin d'éviter de mettre en suspension les poussières allergisantes.

10 Ranger les vêtements dans une armoire fermée.

LES PRODUITS ANTI-ACARIENS

Les acaricides

Ce sont des substances destinées à tuer les acariens, les œufs et les larves. Ils existent sous forme de bombe aérosol, de poudre, de mousse ou de liquide, que l'on applique sur les parties à traiter. Cependant, ces produits n'éliminent pas les allergènes contenus dans les débris d'acariens morts et dans les déjections. Leur durée d'efficacité est de trois à six mois.

Mode d'emploi

- Nettoyer d'abord la pièce à fond. Fermer les portes et les fenêtres.
- Éloigner l'enfant allergique, qui pourrait mal tolérer les produits chimiques contenus dans l'acaricide.

■ Mettre à nu la literie.
■ Traiter la pièce dans ses moindres recoins, sauf le matelas.
■ Laisser agir le produit pendant deux à quatre heures, selon les indications du fabricant. Nettoyer à nouveau la pièce et passer l'aspirateur.
■ Appliquer le produit trois ou quatre fois par an.

Les housses anti-acariens

Il est impossible d'éliminer complètement les acariens qui se trouvent dans le matelas, mais il existe des housses anti-acariens de qualité médicale lavables à 60 °C, hermétiques, qui empêchent les acariens de sortir du matelas tout en maintenant une bonne circulation de l'air et de la vapeur d'eau due à la transpiration. Elles doivent envelopper complètement le matelas sur ses six faces et être fermées par une fermeture Éclair.
Ces housses, de différentes tailles, conviennent également pour les oreillers, traversins et couettes.

Mise en garde

Ne vous fiez pas aux produits étiquetés « anti-allergie » ou « anti-acariens ». Nombre des articles vendus en grande surface ou par correspondance n'ont pas fait l'objet d'une évaluation scientifique sérieuse et se révèlent d'une piètre efficacité, voire parfaitement inopérants contre les acariens. Les housses de matelas, en particulier, laissent passer les acariens et favorisent la transpiration du dormeur, dont le sommeil se trouve altéré. Si votre enfant présente des risques d'allergie, prenez conseil auprès de votre médecin avant d'acheter literie, couettes, humidificateurs et autres ionisateurs.

Les animaux

Les animaux augmentent de 30 % la fréquence des manifestations allergiques. Or, en France, plus d'un foyer sur deux possède un animal domestique : au total, ce sont 8 millions de chats, 8 millions de chiens, 6 millions d'oiseaux et 1,5 million de rongeurs qui peuvent provoquer de nombreuses réactions allergiques chez les enfants sensibilisés.

Autrefois, les animaux vivaient à l'extérieur des habitations et entraient rarement dans les chambres. Aujourd'hui, ils font partie de la famille et dorment souvent trop près des enfants.

LE CHAT

Le chat est l'animal qui provoque le plus fréquemment des réactions allergiques. De nombreuses études ont révélé que cet animal est le deuxième responsable des sensibilisations après les acariens.

Plusieurs mois sont nécessaires pour faire disparaître les allergènes de chat dans une habitation. Des réactions allergiques peuvent se manifester six mois à un an après la disparition de l'animal.

Il faut parfois plusieurs années pour se sensibiliser au chat. On peut ainsi avoir vécu sans problème avec un chat pendant trois ou cinq ans, et développer soudain une allergie. Les patients ont bien du mal à accepter un tel diagnostic, pourtant confirmé par les tests ; car outre qu'ils ont du mal à comprendre le phénomène, cela les oblige à envisager de se séparer de leur animal favori.

Les allergènes du chat

Ils sont contenus dans sa salive, ses urines et les glandes sébacées de sa peau. Les poils eux-mêmes ne sont pas allergisants, mais ils le deviennent parce qu'ils véhiculent les allergènes de la salive déposée quand le chat se lèche.

Même si un enfant n'a pas de chat chez lui, il peut développer des manifestations allergiques en côtoyant à l'école d'autres enfants porteurs d'allergènes de chat sur leurs vêtements.

Les enfants allergiques au chat risquent de développer une allergie au chien, à la souris, au hamster... Ils sont particulièrement exposés, car les allergènes d'animaux sont très volatils et restent en permanence dans l'air.
L'allergie au chat se manifeste généralement par des rhinites, des poussées d'urticaire et des crises d'asthme parfois sévères.

CONSEILS CONTRE LES ALLERGIES AU CHAT

La solution la plus sage consiste à se séparer de l'animal. Quand c'est difficilement envisageable, en raison de l'attachement de l'enfant à l'animal, on peut au moins prendre un certain nombre de précautions, afin de limiter les risques :
1. Interdisez l'accès de la chambre de l'enfant au chat ;
2. Brossez l'animal à l'extérieur ;
3. Lavez le chat une fois par semaine – de nombreuses études semblent confirmer qu'un lavage régulier élimine une grande partie des allergènes ;
4. Essuyez tous les jours le chat avec une serviette humide ;
5. Supprimez moquette et tapis où les allergènes du chat risquent de s'accumuler ;
6. Éloignez la litière et nettoyez-la régulièrement.

LE CHIEN

Les allergènes du chien, présents dans sa salive et ses urines, sont moins allergisants que ceux du chat.
Les enfants exposés aux allergènes de chien au cours de leur première année de vie risquent plus de développer une allergie que les enfants n'ayant pas été au contact de cet animal.

CONSEILS CONTRE LES ALLERGIES AU CHIEN

L'éviction du chien demeure la solution idéale. Si cela paraît impossible, on peut limiter les risques en prenant les mêmes précautions qu'avec un chat (voir p. 28).

À noter
Les chiens à poil court ne sont pas moins allergisants que ceux à poil long.

LE CHEVAL

L'engouement pour les sports équestres a favorisé l'augmentation du nombre d'enfants allergiques au cheval : ceux-ci sont passés de 5 à 10 % en quelques années. Une étude a révélé que 30 % des enfants allergiques aux chats et aux chiens sont gênés au contact de chevaux.
Le cheval est porteur d'allergènes très puissants, à l'origine de manifestations allergiques violentes : conjonctivites, rhinites, crises d'asthme, urticaire et parfois choc anaphylactique.
La seule solution est de ne pas pratiquer l'équitation et d'éviter de se trouver à proximité de chevaux. Dommage pour ceux qui auraient envisagé de devenir vétérinaires...

LE PONEY

Les allergies provoquées par les poneys connaissent une nette recrudescence en raison de la mode des stages de

Attention !

un enfant allergique peut être victime d'une crise d'asthme sans avoir été nécessairement en contact avec l'animal : il suffit qu'il se trouve près d'un haras ou à côté d'un cavalier pour que des manifestations sévères se produisent.

poneys. Les recommandations sont les mêmes que pour le cheval (voir ci-dessus).

LES RONGEURS

Attention !
Il existe des allergies croisées entre les rongeurs et les chats et chiens.

De plus en plus d'enfants élèvent des cochons d'Inde, des lapins, des hamsters... Ces rongeurs présentent une toxicité allergisante élevée. D'autre part, leurs allergènes peuvent aggraver les manifestations provoquées par les acariens. De plus, leur urine, une fois séchée, infeste l'air ambiant de protéines allergisantes.

LES OISEAUX

Les déjections d'oiseau peuvent être particulièrement allergisantes et entraîner des réactions violentes. La solution consiste bien sûr à ne pas avoir d'oiseau à la maison et à éviter tout contact avec un volatile.
Le syndrome œuf/oiseau **:** il existe un lien entre les allergies à l'œuf de poule et celles aux plumes et déjections d'oiseau. Un enfant peut développer des manifestations allergiques en mangeant un œuf aussi bien qu'en étant régulièrement en contact avec des oiseaux.

Soigner le mal par le mal ?
Une étude portant sur 2 618 individus âgés de 6 à 13 ans a révélé que les enfants vivant dans une ferme présentent moins de manifestations allergiques. Il semble que le contact régulier avec des animaux de ferme et la consommation de lait cru aient un effet protecteur contre l'asthme, le rhume des foins et l'atopie.

LES BLATTES

Depuis trente ans, les manifestations allergiques provoquées par les blattes, plus communément appelées cafards, n'ont cessé d'augmenter. Cet accroissement est dû au développement de l'habitat collectif et des transports internationaux, au manque d'hygiène de certains locaux, anciens et vétustes, etc. Les habitants des immeubles neufs ne sont pas à l'abri, car de nombreuses canalisations sont colonisées par les blattes.

À savoir
Dans certains pays, les allergies dues aux blattes sont plus nombreuses que celles provoquées par les acariens : ainsi, plus de 60 % des enfants allergiques de New York et de Chicago sont sensibilisés aux blattes, alors qu'on n'en compte « que » 20 % à Paris.

Qu'est ce qu'une blatte ?

La blatte est un insecte aplati de la classe des dictyoptères. Elle se cache le jour et se déplace la nuit pour trouver sa nourriture. Très prolifique, la femelle peut pondre jusqu'à 35 000 œufs. En France, 90 % des blattes appartiennent à la variété B*latella germanica*.

Les blattes provoquent principalement des manifestations allergiques respiratoires, comme la rhinite et l'asthme. L'augmentation du nombre de personnes vivant dans des conditions sociales défavorisées risque d'entraîner, dans un futur proche, une sensibilisation aux blattes de nombreux enfants.

Attention !
60 à 70 % des enfants allergiques aux acariens sont également sensibilisés aux blattes.

CONSEILS CONTRE LES ALLERGIES AUX BLATTES

Quelques précautions élémentaires limitent le risque d'infestation :

1. Nettoyer régulièrement les appareils ménagers (les tirer pour laver derrière) et l'arrière des chauffe-eau : ce sont des endroits de prédilection des blattes ;
2. Condamner le vide-ordures ;
3. Laver les poubelles plusieurs fois par semaine ;
4. Se débarrasser des emballages et des cartons en provenance des grandes surfaces, car ils peuvent contenir des œufs et des larves de blatte ;
5. Faire appel à un spécialiste en cas d'infestation.

Les moisissures

Les moisissures sont des champignons microscopiques. Il en existe des milliers de variétés. Plusieurs d'entre elles provoquent des manifestations allergiques, les plus courantes étant la rhinite et l'asthme. Chaque moisissure peut produire des millions de spores microscopiques, en suspension dans l'air.

Les moisissures allergisantes se développent plus particulièrement dans les espaces clos, humides, insuffisamment ventilés. Le manque d'ensoleillement et d'aération, la pose de papier peint sur un plâtre pas encore sec, de l'eau stagnante dans un vase... créent des conditions favorables à leur prolifération.

Les différentes espèces

■ ***Aspergillus*** est une moisissure que l'on trouve dans l'atmosphère, dans la paille, le fourrage, certains aliments et la poussière domestique. Elle est plutôt active en automne et en hiver.

■ ***Alternaria***, présente à l'extérieur et à l'intérieur des habitations, libère des spores en fin d'été (août-septembre).

■ ***Candida albicans*** se développe dans certains fruits et légumes.

■ ***Penicillium*** se rencontre dans les maisons humides, les feuilles mortes, le foin humide, les nids d'oiseau.

Attention !
Les plantes d'appartement placées au-dessus des radiateurs libèrent davantage de spores. Remplacez régulièrement l'eau des vases ou des bacs.

CONSEILS POUR LUTTER CONTRE LES MOISISSURES

Avant toute chose, il faut supprimer l'humidité, en faisant si besoin appel à des professionnels. D'autres précautions sont indispensables :

1. Vider les poubelles tous les jours et les nettoyer une à deux fois par semaine ;
2. Nettoyer la salle de bains avec de l'eau de Javel deux fois par semaine au minimum (en insistant particulièrement sur les rideaux de douche, les murs, la baignoire, les coins et les fenêtres) ;
3. Aérer la pièce où l'on vient de faire une lessive ;
4. Aérer la cuisine après y avoir cuisiné ;
5. Aérer la salle de bains avant et après la toilette ;
6. Vérifier la climatisation régulièrement ;
7. Maintenir un taux d'humidité en dessous de 50 % (le surveiller à l'aide d'un hygromètre) ;
8. Ne pas faire sécher le linge à l'intérieur (utiliser un sèche-linge dont l'évacuation est reliée à l'extérieur). Sinon, installer l'étendoir dans une pièce sans tissu et aérer au maximum ;
9. Installer une hotte dans la cuisine ;
10. Aérer la chambre (et si possible toutes les autres pièces) une heure par jour ;
11. Éviter de séjourner trop longtemps dans les sous-sols, souvent envahis de moisissures ;
12. Laisser certaines fenêtres entrouvertes toute la journée, afin d'évacuer les moisissures ;
13. Utiliser de l'eau de Javel diluée en cas d'apparition de traces suspectes.

Les pollens

Les pollens sont responsables de rhinites saisonnières, plus communément appelées « rhumes des foins », et qui surviennent chaque année à la même époque chez les enfants qui y sont allergiques. Ce sont des allergènes qui peuvent parcourir des kilomètres.

Les microscopiques grains de pollen sont les éléments reproducteurs produits et libérés par les organes mâles des plantes, les anthères (parties supérieures des étamines). À maturité, ils forment une substance pulvérulente, généralement jaune. Transportés par le vent ou les insectes (ces derniers assurent la pollinisation de nombreuses espèces végétales), ils se déposent sur le pistil (organe femelle) des plantes, qu'ils fécondent ainsi.

Tous les pollens ne sont pas toxiques pour les enfants atopiques. Seuls les pollens très petits et légers, émis en grande quantité et dotés d'un fort pouvoir allergisant peuvent être à l'origine de manifestations. C'est le cas, par exemple, des pollens anémophiles, transportés par le vent : ils sont libérés par des fleurs peu colorées, sans parfum ni nectar. Pour leur part, les pollens entomophiles, véhiculés par les insectes, sont trop lourds et trop gros pour entraîner des réactions allergiques.

À savoir
Les grains de pollen anémophile ont une paroi très résistante. Ils peuvent parcourir des centaines de kilomètres, supporter des conditions difficiles et toucher n'importe quel enfant, en milieu rural comme urbain.

La météo des pollens
Des bulletins de météo des pollens sont émis toutes les semaines : ils indiquent les pollens les plus virulents dans les différentes régions. Ces informations permettent de mieux se prémunir et de mettre les traitements en œuvre à bon escient.
Les bulletins peuvent être consultés sur Internet : www/rnsa.asso.fr

Manifestations allergiques dues aux pollens

***Le rhume des foins (pollinose)* :** le nez coule et démange ; les éternuements se succèdent par salves ; les yeux rougissent, larmoient et piquent ; le palais et l'intérieur des oreilles sont souvent irrités. Un enfant atteint d'un rhume des foins est extrêmement fatigué.

L'asthme **:** il accompagne fréquemment le rhume des foins, car les petits grains de pollen franchissent la barrière nasale et atteignent les voies respiratoires.
L'urticaire **:** il s'observe souvent chez certains enfants allergiques aux pollens.

Attention !
Dans le sud de la France, la saison des graminées débute en avril et s'étend jusqu'à juin. En montagne, elle commence plus tard et se termine en août.

Le calendrier pollinique

Les enfants allergiques ne sont en général sensibilisés qu'au pollen de certaines plantes, qui se reproduisent à différentes périodes de l'année ; on distingue ainsi trois grandes saisons polliniques :

- La saison des arbres : les espèces dont la pollinisation est très précoce déclenchent des manifestations allergiques de janvier à avril. Ce sont surtout les cyprès (en janvier, février, mars, particulièrement dans le Midi), les bouleaux et les frênes (en mars et avril, dans le Nord).
- La saison des graminées : elle s'étend de mai à juillet (du moins en région parisienne), la période de la Pentecôte correspondant souvent au pic pollinique. Les allergies au pollen des graminées sont celles qui touchent le plus grand nombre d'enfants.

Les graminées se rencontrent dans les prairies, les terrains vagues, les parcs, les jardins, les coins d'herbes folles... Elles sont présentes en ville comme à la campagne. Les principales espèces responsables d'allergies sont le dactyle, la phléole, le paturain, la flouve et le fétuque.

Le bon diagnostic

Des manifestations du type rhinite ou asthme, survenant chaque année à la même période, entre mars et août, doivent faire penser à une allergie aux pollens. Un bilan allergologique permettra de le confirmer et, le cas échéant, d'identifier les pollens responsables.

■ La saison des herbacées : elle se prolonge jusqu'au mois d'octobre. Les principales herbacées allergisantes sont l'armoise et l'ambroisie.

CONSEILS POUR LUTTER CONTRE LE POLLEN

Le pic pollinique
Le pic pollinique correspond à la période de l'année durant laquelle un maximum de grains de pollen d'une espèce donnée s'envole. Pendant cette phase, les manifestations allergiques observées sont les plus sévères.

L'enfant allergique ne peut éviter tout contact avec le pollen, à moins de rester enfermé en permanence. Mais quelques précautions peuvent l'aider à mieux se protéger pendant les périodes de forte pollinisation :

1. Lui donner une douche le soir dès son retour, afin d'éviter que les pollens ne se déposent sur l'oreiller pendant la nuit ;
2. Ne pas laisser les fenêtres ouvertes pendant la journée ;
3. Ne pas faire sécher son linge dehors, afin qu'il ne se transforme pas en véritable capteur de pollens ;
4. Éviter la piscine, car le chlore peut aggraver les manifestations de rhinite et de conjonctivite en entrant en contact avec les muqueuses enflammées et irritées par les pollens ;
5. Éviter de pique-niquer dans l'herbe ;
6. Éviter la tonte et le ramassage du gazon, et la cueillette des fleurs ;
7. Lui mettre un chapeau et des lunettes de soleil ;
8. Éviter les promenades dans la campagne les jours très ensoleillés ou de grand vent, surtout s'ils succèdent à une période pluvieuse ; en effet, il peut y avoir une explosion des pollens quand le soleil réapparaît après quelques jours de pluie ;
9. En voiture, rouler les fenêtres fermées ;
10. Éviter de fumer en présence de l'enfant.

À savoir
En cas d'allergie croisée identifiée à un fruit où à un légume, la cuisson peut être une solution ; ainsi les fruits, et particulièrement les pommes, semblent ne plus provoquer de manifestations allergiques une fois cuits. En revanche, le céleri reste allergisant même après cuisson.

LES ALLERGIES CROISÉES

Certains pollens présentent des spécificités immunologiques proches de celles d'autres allergènes. Lorsqu'on est sensibilisés à ces pollens, on peut manifester des réactions allergiques après un contact avec lesdits allergènes : on parle alors d'allergies croisées.
Ce phénomène est souvent surprenant, car il crée une sorte de parenté entre des éléments n'ayant apparemment aucun lien entre eux. Seuls des tests cutanés ou biologiques peuvent confirmer le diagnostic.
Les allergies croisées entre les pollens et les fruits et légumes sont les plus fréquentes. Quelques exemples :
***Pollen de bouleau* :** allergies croisées avec pomme (la plus fréquente), pêche, poire, amande, cerise, carotte, céleri, fenouil.
***Pollen de graminée* :** allergies croisées avec tomate, poivron, pomme de terre, kiwi, melon.
***Pollen d'ambroisie* :** allergies croisées avec melon, banane.

Attention !
Il est parfois indispensable de supprimer de l'alimentation les fruits et légumes qui risquent de provoquer des démangeaisons dans la bouche et la gorge, une gêne respiratoire, voire un choc anaphylactique dans les quinze minutes qui suivent l'ingestion.
Si vous avez le moindre doute, prenez l'avis de votre allergologue.

Les hyménoptères

Les enfants sont souvent exposés aux piqûres d'insectes. Si la majorité de celles-ci sont bénignes, ne provoquant qu'une inflammation et une douleur passagères, certaines entraînent des manifestations allergiques sévères, voire mortelles.

L'abeille a un corps velu rayé de beige et de noir. Elle meurt après avoir planté son dard dans la peau. Dangereuse et agressive, elle pique lorsqu'elle se sent menacée.

La guêpe est plus volumineuse que l'abeille; elle ne perd pas son dard lorsqu'elle pique et peut donc attaquer plusieurs fois. Deux variétés sont présentes en France : la vespula et la polyste, plus petite, que l'on trouve surtout dans le Sud.

Le frelon est une grosse guêpe jaune et roux à corselet noir. Sa piqûre est très douloureuse.

Les abeilles, guêpes et frelons sont les seules espèces d'hyménoptères capables de provoquer de violentes réactions allergiques; ils sont responsables de cinq à quinze morts chaque année en France.

MANIFESTATIONS

Une piqûre d'hyménoptère provoque une douleur violente suivie d'une inflammation, qui disparaissent normalement quelques heures plus tard. Quand une réaction allergique se produit, elle peut être sévère, l'inflammation atteignant la taille d'un ou deux poings et s'étendant sur deux articulations. Toutefois, elle disparaît généralement 24 à 48 heures après.

L'inflammation peut s'accompagner d'autres manifestations qui imposent une consultation dans les plus brefs délais : apparition d'un urticaire sur le corps, en dehors du point de piqûre, œdème du visage et du cou, gêne respira-

Attention !
L'aggravation de la réaction après chaque nouvelle piqûre peut signifier une évolution de l'état allergique et nécessite l'avis d'un allergologue.

toire (toux, essoufflement, crise d'asthme), douleurs abdominales, nausées... Si la crise s'aggrave et s'accompagne d'un malaise, d'une chute de tension, d'une sensation de mort imminente suivie d'une perte de connaissance, on parle de **choc anaphylactique**, véritable urgence qui nécessite l'intervention immédiate du SAMU.
La réaction après une première piqûre est, dans la majorité des cas, anodine, se limitant à une petite inflammation. C'est après la deuxième piqûre, qui peut avoir lieu des années plus tard, que les manifestations peuvent devenir dangereuses chez les enfants allergiques.

LE BILAN ALLERGOLOGIQUE

Un bilan (interrogatoire, tests cutanés, tests biologiques) permet d'évaluer les risques encourus après une piqûre. Selon les résultats obtenus, le médecin peut envisager d'effectuer une désensibilisation accélérée, appelée « rushthérapie », en milieu hospitalier; elle dure de un à trois jours selon les protocoles. La dose maximale atteinte sera injectée dans le haut du bras à l'aide de fines aiguilles une fois par mois pendant plusieurs années. La désensibilisation aux venins d'hyménoptères offre d'excellents résultats dans plus de 90 % des cas.

CONSEILS CONTRE LES PIQÛRES D'HYMÉNOPTÈRES

1. En cas de piqûre d'hyménoptère, appliquez une pommade anti-inflammatoire ou corticoïde sur la zone concernée.
2. S'il s'agit d'une abeille, essayez de retirer le dard à

l'aide d'un aspivenin (grosse seringue qui permet d'aspirer venin et dard) ou, à défaut, d'une pince à épiler. Ne pincez pas le dard entre vos ongles et ne pressez pas la peau pour le faire sortir, car vous risqueriez de répandre le venin. Il est toujours préférable de prendre l'avis d'un médecin.

3 Si votre enfant présente des risques d'allergie, prenez les précautions suivantes lorsqu'il est en plein air (jardin, campagne...) : ne le laissez pas marcher pieds nus dans l'herbe, évitez les chaussures découvertes, couvrez tout le corps, évitez parfums, huile solaire et déodorants qui attirent les insectes, ne l'habillez pas de couleurs vives et brillantes, mais préférez les vêtements clairs (blanc, beige).

4 En présence d'une abeille, d'une guêpe ou d'un frelon, ne faites pas de mouvements brusques, car ils pourraient rendre les insectes agressifs.

5 Si un insecte pénètre dans la voiture, arrêtez le véhicule, ouvrez portes et fenêtres, et faites sortir l'intrus.

6 Ne laissez pas d'aliments sur la table lors d'un repas en plein air. Bouchez les bouteilles de boissons sucrées ou de bière, car un insecte peut y pénétrer. Vérifiez le contenu de votre verre avant de boire.

7 Sur une aire de pique-nique, demeurez à l'écart des poubelles et des sacs à ordures : les restes de nourriture attirent les insectes.

Le latex

Le caoutchouc naturel provient de la sève de l'hévéa du Brésil, également appelé « arbre à caoutchouc ». Cette sève contient de nombreuses protéines de latex, au fort pouvoir allergisant.
Le latex est un allergène présent dans de nombreux objets qui font partie de notre environnement : gants de ménage, ballons de baudruche, certains biberons et tétines, bonnets de bain, lunettes de plongée, masques et tubas, manches de raquettes de tennis ou de squash, préservatifs, élastiques des sous-vêtements, bouillottes, chambres à air, seaux en caoutchouc, colle des enveloppes, gants utilisés par le personnel médical, tubulures des perfusions, sondes, matériel médical et dentaire, etc.
Les protéines de latex sont volatiles. Dans le cas des gants en latex, par exemple, les allergènes fixés sur les particules d'amidon de maïs sont libérés dans l'atmosphère au moment où les gants sont retirés. De même, on a pu constater que des enfants présentaient une crise d'asthme à chaque fois qu'ils entraient dans un magasin où étaient suspendus des ballons.

Manifestations allergiques

Tous les symptômes de l'allergie peuvent être observés après un contact avec du latex : urticaire (elle apparaît au bout de quelques minutes et disparaît rapidement après l'arrêt du contact), rhinite, conjonctivite et asthme. On observe parfois des réactions plus sévères, l'allergène du latex étant très puissant : urticaire aiguë, œdème de Quincke, choc anaphylactique.
Si votre enfant est allergique au latex, consultez votre

Attention !
Certains produits cosmétiques contiennent des extraits d'avocat, qui peuvent provoquer une réaction allergique.

allergologue pour savoir s'il ne présente pas d'allergies croisées. Le latex présente en effet des réactions allergiques croisées avec la châtaigne, le kiwi, l'avocat, la banane, la papaye, le raisin, le melon, la pêche, *Ficus benjamina*...

CONSEILS CONTRE LES ALLERGIES AU LATEX

La meilleure prévention consiste à éviter l'exposition au latex :

1. Évitez tout contact de l'enfant avec des objets contenant du caoutchouc ; par exemple, remplacez les tétines en latex par des tétines en silicone ;
2. Signalez l'allergie aux médecins, dentistes et autres personnels médicaux qui doivent examiner votre enfant. Demandez-leur d'utiliser des gants dépourvus de latex, en Néoprène, tactylon ou vinyle. Préférez le premier rendez-vous de la journée, afin de réduire au maximum le risque de contact avec des protéines de latex projetées dans l'air lors des consultations précédentes ;
3. Si votre enfant voyage à l'étranger, fournissez-lui des gants stériles sans latex de tailles différentes, pour le cas où il aurait à subir une intervention en urgence ;
4. Signalez l'allergie au chirurgien si l'enfant doit subir une opération : celui-ci passera sans doute en premier,

Conseil
Si votre enfant se démange ou tousse quand il souffle dans un ballon, faites effectuer un bilan allergologique, afin de confirmer l'allergie au latex.

dans un bloc opératoire ne contenant pas de protéines de latex, et le personnel soignant utilisera des gants et du matériel sans latex ;

5 Demandez à votre enfant de porter en permanence sur lui une carte ou un bracelet mentionnant son allergie au latex.

À savoir
Les enfants atteints de malformations et opérés fréquemment sont plus exposés que les autres à l'allergie au latex.

Les vaccins

Les réactions allergiques aux vaccins sont très peu fréquentes, et tous les enfants doivent pouvoir bénéficier des vaccinations prévues dans le carnet de santé. Toutefois, quelques individus sont susceptibles d'avoir des manifestations allergiques après une vaccination. Ce sont le plus souvent des enfants allergiques aux œufs.

En effet, certains vaccins contiennent des protéines d'œuf : ce sont les vaccins contre la grippe, les oreillons, la fièvre jaune, ainsi que le ROR (contre la rougeole, les oreillons et la rubéole).

La législation française impose de ne pas vacciner les enfants allergiques avec ces vaccins préparés à partir d'embryons d'œuf de poule. Mais de nombreuses études ont montré que plus de 90 % des enfants sensibilisés ne présentent aucune manifestation après injection de ces produits. Il est donc d'usage aujourd'hui de les vacciner normalement, sauf s'ils ont déjà été victimes d'un choc anaphylactique dû à l'œuf. Même dans ce cas pourtant, la vaccination peut être réalisée selon un protocole particulier. Ainsi, les vaccins contre certaines maladies, comme la poliomyélite et le tétanos, doivent être administrés dans un centre hospitalier spécialisé en prenant un certain nombre de précautions. Les autres vaccinations seront discutées au cas par cas. Les enfants atteints d'un asthme sévère ou mal équilibré ne peuvent bénéficier de ces vaccins.

Attention !
Quand un enfant est suspecté d'avoir présenté une réaction allergique sévère après un vaccin, il faut s'assurer de la nécessité d'une revaccination.

Cas de l'enfant asthmatique

L'enfant asthmatique peut être vacciné selon le calendrier vaccinal habituel. Toutefois, il est conseillé de vérifier le bon équilibre de son asthme et de reporter la vaccination lors de la survenue d'une crise sévère. La vaccination contre la grippe est recommandée en cas d'asthme modéré ou plus sévère, mais il est nécessaire de prendre l'avis d'un médecin allergologue si l'enfant est allergique aux œufs.

CONSEILS

En cas de doute, un bilan allergique doit être effectué. Pratiqué en milieu hospitalier, il permet de confirmer l'allergie au vaccin suspect, puis d'effectuer la vaccination selon un protocole spécifique, en administrant à plusieurs reprises des vaccins dilués, jusqu'à atteindre la dose protectrice.
Évitez la vaccination au cours d'une poussée d'eczéma, d'une crise d'asthme ou d'urticaire. Reportez la vaccination si l'enfant est traité par des corticoïdes sous forme de comprimés ou d'injection.
Lorsque l'enfant présente une réaction allergique modérée (réaction locale étendue, urticaire), les vaccins doivent être réalisés un par un, à quelques jours d'intervalle et sous surveillance spécialisée.

Les médicaments

On ne saurait garantir la totale innocuité d'aucun médicament. Tous les produits peuvent, un jour ou l'autre, déclencher une réaction allergique. Il n'existe pas de prédisposition particulière, les enfants atopiques n'étant pas plus exposés à développer des réactions médicamenteuses.
Les principaux médicaments susceptibles d'entraîner des réactions allergiques sont les antibiotiques, en particulier la pénicilline, l'acide acétylsalicylique, les anti-inflammatoires non stéroïdiens, la morphine.

Attention !
Des réactions allergiques peuvent être observées lors de la prise de médicaments pourtant destinés à lutter contre les allergies.

MANIFESTATIONS DES ALLERGIES MÉDICAMENTEUSES

L'allergie se manifeste le plus souvent par une crise d'urticaire. Un pic fébrile, des phénomènes articulaires, une atteinte hépatique, pulmonaire ou rénale sont parfois observés également. La survenue d'un choc anaphylactique est exceptionnelle.
L'allergie médicamenteuse est un diagnostic (trop) souvent évoqué, mais rarement porté avec certitude. Des tests cutanés sont pratiqués en milieu spécialisé (sous haute surveillance) pour les pénicillines et les anesthésiques généraux. Pour leur part, les tests sanguins biologiques sont très rarement fiables.
En cas de réaction allergique, le traitement consiste surtout à soulager les symptômes : des médicaments antihistaminiques et corticoïdes sont prescrits dans les formes modérées. L'injection d'adrénaline est indispen-

sable s'il y a choc anaphylactique. Le médicament incriminé ne doit bien sûr plus jamais être administré.

CONSEILS

Pensez à une allergie médicamenteuse si une urticaire (ou autre réaction cutanée) survient quelques minutes après la prise d'un médicament et consultez rapidement un médecin allergologue. Ne réutilisez pas le médicament suspecté sans avis médical.
La prévention des réactions allergiques aux antibiotiques passe avant tout par une diminution de leur prescription.

Attention !
Un enfant peut tolérer un médicament pendant plusieurs années et développer soudainement des réactions allergiques.

Les allergies alimentaires

Le nombre des enfants présentant des allergies alimentaires a doublé depuis cinq ans et ne cesse d'augmenter. Quelque 8 à 10 % des enfants seraient concernés par ce phénomène, soit trois fois plus que chez les adultes. D'autre part, l'allergie alimentaire est plus fréquente chez les enfants déjà sensibilisés (aux acariens et aux pollens, surtout).

Depuis une trentaine d'années, nos habitudes alimentaires se sont considérablement modifiées. La découverte des cuisines exotiques (antillaise, asiatiques, africaines...), l'apparition de nouveaux aliments grâce à la mondialisation des échanges, à l'amélioration des moyens de transport et de conservation, les développements technologiques de l'industrie agro-alimentaire, les nouveaux modes de préparation et de conservation, le succès des fast-foods, la diversification trop précoce de l'alimentation des bébés... ont entraîné l'apparition de nouvelles molécules allergisantes auxquelles notre organisme n'a pas toujours réussi à s'adapter, développant alors une réaction immunitaire anormale vis-à-vis de certains aliments.

L'augmentation rapide de ces allergies alimentaires est devenue un véritable problème de santé publique.

PRINCIPAUX ALIMENTS RESPONSABLES DES ALLERGIES ALIMENTAIRES

Chez l'enfant de moins de 15 ans, cinq aliments sont responsables de 80 % des manifestations allergiques :

Attention !
L'apparition d'une dermatite atopique, d'une urticaire soudaine ou d'un gonflement des lèvres, de coliques (diarrhées) et de vomissements chez un nourrisson, de toute réaction allergique violente (choc anaphylactique) doit conduire, après traitement des symptômes, à un bilan allergologique. L'existence d'un terrain atopique familial justifie encore davantage la pratique de ce bilan.

œuf, arachide, lait de vache, moutarde, poisson. Jusqu'à l'âge de 3 ans, le lait de vache et les œufs sont le plus souvent à l'origine des allergies ; après 3 ans, ce sont l'arachide et le poisson qui viennent en tête.
Chez l'adulte, les allergies aux fruits, légumes, poissons et crustacés prédominent.
Plus de 150 aliments sont aujourd'hui recensés comme potentiellement allergisants, et la liste ne cesse de s'allonger chaque année.

Manifestations

Les réactions allergiques sont diverses ; elles peuvent se traduire par de très nombreux symptômes, des plus anodins aux plus graves. Elles se déclarent en général quelques secondes à quelques heures après la consommation de l'aliment responsable.
La peau et les muqueuses **:** la dermatite atopique, encore appelée eczéma atopique, est la première expression de la maladie atopique de l'enfant. Une urticaire localisée autour de la bouche ou généralisée sur le corps s'observe également.
Un gonflement des lèvres (œdème de Quincke), des rougeurs et des démangeaisons de la bouche sont plus fréquentes chez les enfants plus âgés.
Le tube digestif **:** chez un nourrisson, nausées, vomissements, diarrhées, coliques ou douleurs abdominales peuvent être provoquées par une allergie alimentaire.
L'appareil respiratoire **:** rhinite et asthme témoignent parfois d'une l'allergie alimentaire.
Les manifestations plus sévères sont heureusement exceptionnelles. En cas de symptômes d'un choc anaphylactique (urticaire généralisée, œdème des lèvres et du larynx, crise d'asthme, malaise avec perte de connaissance, chute de la tension artérielle...), qui peut mettre la

vie en danger, il faut recourir à une assistance médicale d'urgence (SAMU).

Le dépistage

La consultation d'un médecin allergologue est essentielle pour déterminer le ou les aliments responsables des réactions allergiques. L'interrogatoire des parents, la tenue d'un journal alimentaire, la pratique de tests cutanés (rappelons qu'ils peuvent être effectués dès le plus jeune âge) et un bilan sanguin suffisent dans la majorité des cas à identifier l'allergène alimentaire. Malheureusement, la négativité de ces tests n'élimine pas toujours l'alimentation comme responsable des manifestations observées. D'autres tests cutanés consistent à appliquer un fragment de l'aliment incriminé sur la peau, puis à effectuer une scarification au travers. La présence ou l'absence de réaction dans les heures qui suivent permettra de confirmer ou d'infirmer le diagnostic.
Il est parfois nécessaire d'effectuer des tests de provocation orale en milieu hospitalier : l'enfant consomme l'aliment suspecté sous surveillance médicale stricte, à proximité d'un service de réanimation.
Des périodes d'éviction et de réintroduction d'un produit suspect dans l'alimentation permettent également de confirmer un diagnostic.

Attention !
Les parents doivent lire systématiquement la liste des ingrédients sur les emballages des produits consommés. Une matière première comme l'œuf peut être présente sous différentes formes (œuf entier, blanc d'œuf, lysozyme d'œuf...) dans l'aliment. Une grande vigilance est donc requise.

Traitement et prévention

La meilleure solution consiste évidemment à supprimer tout contact avec l'aliment responsable. Mais si cette éviction est relativement facile à mettre en œuvre lorsque le produit est peu utilisé dans l'alimentation quotidienne, elle est beaucoup plus malaisée quand l'aliment est présent dans de nombreuses préparations, souvent sans même être mentionné sur l'étiquette.

Seul le médecin allergologue peut, après avoir confirmé le diagnostic, indiquer le ou les aliments à éviter (en particulier les dérivés et conseiller sur un régime alimentaire équilibré et diversifié. En second lieu, une diététicienne peut aider les parents à établir des menus équilibrés en remplaçant l'aliment responsable.

En cas de crise, différents médicaments peuvent soulager l'enfant. Ils doivent toujours être à portée de main, car la réaction allergique est rarement prévisible :

■ les antihistaminiques sont suffisants lorsque l'enfant présente des manifestations modérées (démangeaisons, quelques plaques d'urticaire) ;

■ les corticoïdes, sous forme de gouttes ou de comprimés, doivent être réservés aux manifestations plus importantes (urticaire géante, gêne respiratoire importante, œdème de Quincke...) ;

■ un broncho-dilatateur est nécessaire en cas de crise d'asthme (toux, sifflement, essoufflement...) ;

■ une seringue d'adrénaline auto-injectable peut sauver la vie de l'enfant en cas de choc anaphylactique.

Attention !
Malgré la bonne foi des fabricants, certains allergènes peuvent être présents dans un produit qui n'est pas censé en contenir. Ainsi, un enfant allergique aux noisettes peut manifester une réaction après avoir absorbé du chocolat au lait, simplement parce que celui-ci a été fabriqué dans une cuve ayant préalablement servi à la préparation d'un chocolat aux noisettes.

Le problème de l'étiquetage

Des allergènes alimentaires sont présents dans presque tout ce que nous pouvons consommer quotidiennement. Or, s'il est aisé de repérer certains aliments, comme le poisson, il est beaucoup plus difficile de détecter un allergène répandu, parfois à l'état de trace, dans de nombreux produits. Et cela d'autant plus que les industriels ne sont toujours pas tenus de détailler les ingrédients qui entrent pour moins de 25 % dans la préparation proposée. Une quantité infime de l'aliment peut pourtant suffire à provoquer une réaction allergique.

Un projet de loi visant à améliorer l'étiquetage des denrées alimentaires, afin de prévenir les risques d'allergie, a été

déposé en mars 1999 par 80 députés mais n'a toujours pas été adopté. Par ailleurs, le Conseil supérieur d'hygiène publique français recommande aux fabricants de faire figurer tous les allergènes présents dans les produits.
L'Association nationale des industries agro-alimentaires, la Commission européenne, les associations de consommateurs travaillent en concertation pour essayer de résoudre les nombreux problèmes rencontrés. Mais, malgré leur bonne volonté, les industriels ont beaucoup de difficulté à obtenir une parfaite traçabilité de leurs produits. Retirer l'allergène d'une recette ne suffit pas toujours : il faudrait également être sûr que les fournisseurs d'ingrédients entrant dans la composition des préparations jouent aussi la carte de la transparence.

Conseil
En cas de doute sur une préparation, mieux vaut s'abstenir, ou bien contacter le fabricant pour connaître la composition exacte du produit. Quand il existe un service consommateur, dont le téléphone est mentionné, cela facilite beaucoup la tâche des parents, qui peuvent ainsi obtenir une information précise.

LE LAIT DE VACHE

L'allergie au lait de vache représente 13 % des allergies alimentaires de l'enfant et touche 4 % des nourrissons.
Les protéines allergisantes du lait de vache se trouvent dans le lait frais ou longue conservation, dans le lait en poudre ou concentré, mais aussi dans le lait maternisé (même s'ils sont dits « hypoallergéniques »). On les rencontre également dans de nombreuses préparations : fromages, yaourts et desserts lactés, beurre, crème, caramel, pâtisseries, chocolat, biscuits, purée, mayonnaise, pain, biscotte, plats cuisinés, etc.

À savoir

20 % des hospitalisations de nouveau-nés sont dues à une allergie aux protéines de lait de vache.

Attention !
Méfiez-vous des autres laits (de soja, de chèvre...), qui présentent des allergies croisées avec les protéines de lait de vache. Leur utilisation est fortement déconseillée. En effet, 30 % des enfants allergiques aux protéines de lait de vache le sont également aux protéines de soja, et plus de 70 % d'entre eux le sont aux protéines de lait de chèvre.

Manifestations

L'allergie au lait de vache se manifeste en général dès les premiers biberons. Elle disparaît dans 80 à 90 % des cas avant l'âge de 3 ans, à condition d'avoir supprimé le lait de vache et tous les produits pouvant contenir ses protéines allergisantes de l'alimentation de l'enfant.

Les manifestations de l'allergie sont des vomissements survenant le plus souvent rapidement après les repas, une diarrhée chronique accompagnée de selles semi-liquides, des coliques chez le nourrisson ou des douleurs abdominales chez l'enfant plus âgé (toutefois, ces symptômes ne sont pas spécifiques à l'allergie alimentaire et peuvent être causés par d'autres maladies). Plus rarement, on observe de l'asthme, un œdème de Quincke, voire un choc anaphylactique. Un bébé allergique au lait de vache pleure beaucoup et refuse de s'alimenter.

Les parents se trouvent désarmés face à ce problème qui survient peu après la naissance du bébé. Mais ils

Les produits de remplacement

Les hydrolysats de protéines sont utilisés depuis plusieurs années comme substituts au lait de vache ; il est recommandé de les compléter par un apport de vitamines ou/et de sels minéraux (fer, calcium). Toutefois, dans certains cas exceptionnels, ces hydrolysats provoquent des réactions allergiques sévères. Une formule plus récente, à base d'acides aminés, garantit une sécurité absolue, assure une nutrition efficace et favorise la croissance du bébé. Diverses formules sont disponibles (demandez conseil à votre allergologue), mais il faut savoir que tous ces produits ont un coût plus élevé que les laits habituellement utilisés.

doivent savoir que les symptômes disparaissent quelques semaines après l'éviction du lait de vache de l'alimentation de l'enfant.

Attention !
25 protéines présentes dans le lait, dont la caséine et la bétalactoglobuline, sont susceptibles d'entraîner des réactions allergiques.

CONSEILS

1. Ne vous impatientez pas et ne changez pas trop souvent de lait si les manifestations allergiques ne s'atténuent pas rapidement : il faut parfois attendre trois semaines avant de constater une amélioration.
2. Suivez les conseils de votre allergologue et pas ceux de vos proches, car ce qui convient à leur bébé ne sera peut-être pas adapté au vôtre.
3. Vérifiez que les shampooings et crèmes que vous utilisez pour votre enfant ne contiennent pas de protéines de lait de vache.
4. Prenez l'avis d'une diététicienne, car un régime alimentaire sans lait peut entraîner une carence en calcium et en protéines. En général, il est conseillé d'augmenter les rations journalières de légumes crus et de fruits.

Réintroduction du lait de vache

Dans 90 % des cas, l'enfant tolère à nouveau les protéines de lait de vache à partir de 18 mois et au plus tard à 4 ans. Une première tentative de réintroduction du lait de vache

À savoir

Les protéines de lait sont présentes dans l'alimentation sous différentes formes : lait et poudre de lait bien sûr, mais aussi caséine, caséinate, lactoglobuline, lactalbumine, lactosérum, lactose...

après un régime d'éviction est faite vers 10-12 mois, de préférence en milieu hospitalier. Ce premier essai s'effectue sur trois jours. En cas d'échec, une à trois nouvelles tentatives de réintroduction se succèdent à trois mois d'intervalle. Il est généralement difficile de prédire à quel âge exactement la démarche sera couronnée de succès.

L'ŒUF

À savoir
Les protéines d'œuf se cachent parfois sur les étiquettes sous d'autres noms : ovalbumine, albumine, lécithine, ovoglobuline, livetine, lysosyme/E 1105 (additif conservateur que l'on retrouve dans de nombreuses préparations et dans quelques fromages).

L'allergie à l'œuf de poule représente près de 30 % des allergies alimentaires de l'enfant.
Elle apparaît vers l'âge de 1 an et guérit spontanément vers 3 ou 4 ans dans plus de 60 % des cas, à condition d'avoir strictement évité les œufs.
Les œufs sont présents dans de multiples préparations : salades composées, mayonnaise, terrines et pâtés, boudins, farces, quenelles, surimi, aliments panés, gnocchis, mousses de légumes, gratins, pâtes aux œufs, biscottes, purée, beignets, pâtisseries, biscuits, glaces, confiseries (le blanc d'œuf favorise la cristallisation), pâtes à tarte, etc.
Les seuls desserts du commerce autorisés à un enfant allergique à l'œuf sont les fruits crus ou cuits en compote.

Attention !
Les plumes et déjections d'oiseau (perruche, canari, tourterelle, pigeon...) peuvent contenir les mêmes protéines allergisantes que les œufs – c'est le syndrome œuf/oiseau.
Certains shampooings contiennent des protéines d'œuf.
Les vaccins contre les oreillons, la fièvre jaune et la grippe, ainsi que le ROR (rougeole, oreillons, rubéole) sont contre-indiqués chez les enfants allergiques à l'œuf.

Manifestations

L'allergie à l'œuf se manifeste par une dermatite atopique, une urticaire, une conjonctivite, une rhinite, de l'asthme, des vomissements, des douleurs abdominales, isolément ou en association. Plus rarement, un choc anaphylactique est observé.

CONSEILS

1. Prenez l'avis d'une diététicienne pour éviter certaines carences provoquées par un régime sans œuf.
2. Utilisez des substituts d'œuf. Présentés sous forme de poudre, ils sont fabriqués à partir d'amidon de maïs et de fécule de pomme de terre : 10 grammes de substitut d'œuf (une cuillerée à café) diluée dans quatre cuillerées à soupe d'eau équivalent à un œuf.

L'ARACHIDE

Le nombre d'enfants allergiques à l'arachide a été multiplié par deux au cours des dix dernières années. L'arachide est désormais à l'origine des allergies alimentaires les plus fréquentes chez les enfants âgés de plus de 3 ans.
La sensibilisation à l'arachide peut entraîner des réactions graves ; elle est responsable de 50 % des décès dus à des allergies alimentaires.

À savoir

L'allergie à l'arachide ne disparaît pas spontanément et persiste à l'âge adulte. Seuls 10 à 15 % des enfants atteints guérissent vers l'âge de 20 ans.

Attention !
La vie d'un enfant allergique à l'arachide est pleine de contraintes. Manger à la cantine, chez un copain ou au restaurant, partir en vacances, en colonie deviennent de véritables casse-tête, et l'enfant a parfois tendance à s'isoler et à se replier sur lui-même. Les parents doivent s'efforcer d'offrir à leur enfant une vie la plus « normale » possible et de rester à l'écoute de ses problèmes.

L'arachide est une plante de la famille des légumineuses – qui comprend également le soja, les petits pois, les lentilles, les haricots et les fèves. Elle est originaire d'Amérique du Sud. C'est une source de protéines, de lipides et de vitamines bon marché.

Manifestations

L'allergie à l'arachide se manifeste par une dermatite atopique, une urticaire, une conjonctivite, une rhinite, de l'asthme, des vomissements, des douleurs abdominales, isolément ou en association. Plus rarement, un choc anaphylactique est observé.

Aliments à éviter

L'arachide est omniprésente dans notre alimentation. L'augmentation du nombre d'enfants allergiques est d'ailleurs liée à son emploi de plus en plus fréquent dans l'industrie agro-alimentaire, qui utilise ce produit peu coûteux pour modifier l'aspect et la consistance de nombreuses préparations. Si votre enfant est allergique à l'arachide, vous devez impérativement supprimer de son alimentation (sauf accord exprès de votre allergologue sur un produit particulier) : cacahouètes, huile d'arachide, beurre de cacahouète, margarine ; confiseries et préparations portant la mention « huile végétale » ou « graisse » sans autre précision (chips, par exemple) ; pains fabriqués avec de la farine de lupin ; céréales du petit déjeuner (les fabricants

Attention !

De nombreux cosmétiques et certains médicaments contiennent de l'arachide. Des aliments pour poissons et pour oiseaux, ainsi que certains shampooings et préparations corporelles sont fabriqués avec des arachides.

ont recours à l'arachide pour leur donner plus de goût) et barres céréalières; pâtisseries (l'arachide améliore la consistance et le volume des gâteaux), en particulier galette des rois (la frangipane est partiellement remplacée par de la pâte de cacahouète, moins coûteuse) ; soupes, bières, saucisses, biscuits secs, crackers, hamburgers, plats préparés; décor de glace à base de poudre dite « de noisette » (en fait, il s'agit de cacahouètes réduites en poudre, désaromatisées et reparfumées à la noisette); amandes et pâte d'amande; certains arômes...

Conseil
Évitez les préparations mentionnant « huile végétale » sans préciser s'il s'agit d'huile d'arachide, de tournesol ou d'olive.

Il est probable que notre consommation d'arachide va aller en augmentant au cours des prochaines années, car son utilisation s'étend de plus en plus dans l'industrie agro-alimentaire. Il est donc indispensable que les pouvoirs publics exigent qu'une étude du risque allergique soit effectuée avant la mise sur le marché d'un nouveau produit, de la même manière qu'une étude toxicologique est pratiquée avant toute commercialisation.

Allergies croisées

On constate des allergies croisées avec les légumineuses : petits pois, soja, fèves, haricots, lentilles et lupins (la farine obtenue à partir de graines de lupin, très riches en pro-

À savoir

Il arrive qu'un fabricant modifie la composition de ses produits en fonction du cours des marchés. De ce fait, si un appel au service consommateur permet de limiter les risques, il ne peut les exclure totalement : une boîte de conserve fabriquée un an auparavant peut contenir des traces d'arachide, alors que l'arachide ne fait plus partie de la composition du produit le jour de l'appel téléphonique.

téines, améliore la souplesse du pain et des brioches). Demandez à votre boulanger s'il utilise de la farine de lupin avant de donner du pain à votre enfant.
D'autres allergies croisées sont constatées avec les fruits secs oléagineux : pistaches, amandes, noix...

La moutarde

La moutarde est devenue la quatrième cause d'allergie alimentaire chez l'enfant. Les modifications de nos habitudes alimentaires et l'utilisation fréquentes de sauces à base de moutarde pour assaisonner salades et plats expliquent cette montée en puissance.
La sensibilisation du nourrisson s'effectue dès la fin de la grossesse et pendant l'allaitement. Elle se poursuit avec la consommation de petits pots qui contiennent de la moutarde sous une forme masquée.

Fausses allergies alimentaires

Certains aliments riches en histamine ou en tyramine entraînent des réactions ressemblant à celles provoquées par les allergies alimentaires (urticaire, eczéma, asthme...) : on les appelle « fausses allergies alimentaires ». Il est donc conseillé de retarder et de limiter l'introduction de ces aliments dans le régime de l'enfant. Il s'agit de la charcuterie (saucisson, jambon), des coquillages et crustacés, de certains poissons (thon, sardine, hareng), des fromages fermentés, du cacao et du chocolat.

La pollution

Les parents d'un enfant qui présente une toux apparemment d'origine allergique incriminent presque toujours la pollution atmosphérique quand ils vivent en milieu urbain. Mais il faut savoir que dans les logements, les écoles, les bureaux, à la ville comme à la campagne, notre environnement est menacé par de nombreux polluants encore plus néfastes. Si de nombreuses études confirment l'importance des méfaits de la pollution atmosphérique sur notre santé, et particulièrement sur celle des enfants, de nombreux experts pensent que ce problème a tendance à détourner l'attention du tabagisme (actif et passif) et des polluants domestiques, pourtant beaucoup plus nocifs. Il est vrai que la médiatisation à outrance des pics estivaux de la pollution atmosphérique occulte d'autres problèmes cruciaux (il y a quelques années, des experts de l'Académie des sciences et de la médecine se sont élevés contre ce battage médiatique, préconisant une approche plus rationnelle de l'environnement et de la santé), mais on ne peut pas ignorer que ladite pollution est à l'origine d'un certain nombre de manifestations allergiques.

LA POLLUTION ATMOSPHÉRIQUE

La pollution atmosphérique provient de l'introduction par l'homme, dans l'atmosphère, de substances ayant des conséquences préjudiciables sur l'humanité, les ressources biologiques et les écosystèmes.
Les effets de la pollution atmosphérique sur la santé des enfants sont encore mal connus et souvent controversés.

De nombreuses études suggèrent que cette pollution ne serait pas à l'origine de l'augmentation des manifestations allergiques, mais qu'elle serait un facteur aggravant de l'intensité et de la fréquence des crises d'asthme. Elle pourrait également initier une réaction allergique – ou l'empirer si elle existe déjà –, en diminuant le seuil de sensibilité aux allergènes. Enfin, elle favoriserait également les infections respiratoires.

CONSEILS EN CAS DE PIC DE POLLUTION ATMOSPHÉRIQUE

1. Déconseillez à l'enfant de faire du sport en plein air pendant les heures les plus chaudes de la journée. En effet, l'augmentation du volume d'air respiré pendant l'effort entraîne l'inhalation d'une plus grande quantité de polluants.
2. Ne promenez pas l'enfant en poussette, car il serait à la hauteur idéale pour inhaler un maximum de gaz de pot d'échappement.
3. Si l'enfant est asthmatique, veillez tout particulièrement à ce qu'il prenne son traitement et à ce qu'il emporte partout avec lui ses médicaments broncho-dilatateurs à action rapide.

Le trafic routier

Le trafic routier constitue aujourd'hui la cause majeure de la pollution atmosphérique. En vingt ans, il a presque doublé : en 1979, on comptait 250 voitures pour 1 000 habitants, contre 400 aujourd'hui. Les moteurs diesels sont particulièrement nocifs, car ils rejettent dans l'atmosphère de minuscules particules qui s'introduisent dans les voies respiratoires les plus fines et peuvent provoquer une gêne importante chez les enfants asthmatiques.

Il est inutile de demander à l'enfant de porter un masque sur le visage, car les particules polluantes passent à travers. Le garder enfermé n'est pas non plus forcément indiqué, car il peut être plus nocif de séjourner plusieurs heures dans une maison calfeutrée. Enfin, partir à la campagne n'est pas toujours une bonne idée, car les nappes de pollution provoquées par l'ozone se déplacent et peuvent stationner au-dessus des forêts – croire qu'il y a moins de pollution à la campagne est bien souvent un leurre !

LA POLLUTION DOMESTIQUE

Méconnue du public et bien moins médiatisée que la pollution atmosphérique, la pollution domestique est aujourd'hui en grande partie responsable de l'augmentation des maladies allergiques dans les pays occidentaux. Elle concerne surtout les enfants, qui passent de 20 à 24 heures à leur domicile (ou celui de la nourrice ou de la grand-mère...) et à l'école (ou à la crèche), c'est-à-dire dans des lieux clos où se concentrent un nombre élevé de polluants. De nature chimique ou biologique, ces polluants peuvent provoquer des réactions allergiques de façon directe, ou aggraver la réponse bronchique, nasale ou cutanée aux allergènes.

Il serait tout à fait souhaitable que les médias s'intéressent de plus près aux problèmes causés par la pollution domestique, afin que les personnes concernées soient alertées et puissent prendre les mesures qui s'imposent pour se protéger au mieux.

À savoir
L'air que nous respirons chez nous, à l'école, au bureau est le plus souvent de qualité médiocre. Allumer une cigarette ou caresser un chat entraîne une augmentation notable de la pollution domestique d'un lieu.

LES RESPONSABLES

Les allergènes

Les acariens, les animaux domestiques, les moisissures sont aujourd'hui considérés comme de véritables polluants biologiques, au même titre que les polluants atmosphériques.

Les polluants chimiques

Cuisinières, veilleuses de chauffe-eau et de poêle, radiateurs à gaz et cheminées à ciel ouvert sont les principales sources d'émission de dioxyde d'azote (NO^2), qui peut altérer la fonction respiratoire d'un enfant. Un taux très élevé de NO^2 est observé dans les cuisines mal ventilées et dans les pièces où les radiateurs fonctionnent mal. Or, de nombreuses études effectuées sur des enfants asthmatiques ont révélé une augmentation des manifestations allergiques en présence de concentrations de NO^2 qui se rencontrent très communément dans nos logements.

Les composants organiques volatiles et le formaldéhyde

La concentration des composés organiques volatiles (COV) et de formaldéhyde est beaucoup plus importante à l'intérieur des habitations qu'à extérieur : 50 à 300 de ces composés ont été identifiés dans l'atmosphère de nos logements.

On trouve les composés organiques volatiles dans les papiers peints, les poêles à pétrole, les antimites, les produits décapants, les désodorisants, les désinfectants, les nettoyants ménagers et les solvants, les parfums d'intérieur, sur les vêtements revenant d'un nettoyage à sec, etc. Les sources les plus importantes de formaldéhyde sont les mousses utilisées comme isolant thermique, les meubles en panneaux de bois aggloméré, les colles à moquette, les sols stratifiés ou vitrifiés. Le formaldéhyde est également la principale source de pollution dans les caravanes et les maisons en préfabriqué.

Le tabagisme

La lutte contre le tabac, pourtant premier responsable de la pollution domestique, est la grande oubliée de la prévention des maladies allergiques.

Le tabac a des incidences sur la santé sans commune mesure avec celles de la pollution atmosphérique. C'est un problème majeur, malheureusement pas toujours perçu comme tel par le public, plus sensibilisé à la pollution extérieure.

La fumée inhalée par le fumeur et par son entourage contient de nombreux composés (phénol, acides organiques, aldéhyde, acide cyanhydrique) qui irritent les parois nasales et bronchiques en altérant les cellules qui les tapissent. Il n'existe pas d'allergie au tabac, pas plus qu'il n'y a d'allergie à la pollution atmosphérique. Mais le tabac irrite les parois des bronches et du nez, entraînant l'augmentation de leur perméabilité aux allergènes inhalés (acariens, animaux, moisissures). Le tabac est également responsable de l'aggravation ou du déclenchement de manifestations allergiques respiratoires préexistantes.

Le nombre de jeunes fumeurs augmente de façon considérable chaque année. À 13 ans, un jeune sur dix fume ; à 16 ans, il y en a un sur trois, et à 19 ans, les deux tiers des adolescents sont des fumeurs.

Le tabagisme passif chez les enfants

On appelle « tabagisme passif » l'inhalation involontaire par un sujet non fumeur de la fumée rejetée par un ou plusieurs fumeurs dans son voisinage immédiat. Les nouveau-nés et les enfants en bas âge sont particulièrement exposés au tabagisme passif, devenu un véritable fléau de

Attention !
L'absorption prolongée de nicotine par un enfant et sa fixation sur les récepteurs cérébraux pourraient favoriser sa dépendance tabagique ultérieure. Les enfants de parents non fumeurs ou qui ont arrêté de fumer ont moins de chance de devenir fumeur.

plus en plus difficile à combattre. Trop jeunes pour réagir, ils inhalent à leur insu beaucoup de produits toxiques.
Les effets du tabagisme passif s'observent chez un enfant à partir de trois cigarettes fumées chaque jour par une personne située dans la même pièce. Certains pédiatres estiment même qu'une seule cigarette quotidienne fumée dans l'entourage d'un bébé suffit à lui faire courir des risques.
Le tabac favorise les infections à répétition (otites, angines, bronchites), ainsi que l'aggravation ou l'apparition de l'asthme chez un enfant prédisposé. Des agressions précoces et répétées par la fumée tabagique peuvent entraîner des séquelles irréversibles. De nombreuses études ont, par exemple, révélé une corrélation entre la sévérité de l'asthme et le nombre d'années d'exposition de l'enfant au tabagisme des parents.
On ne saurait donc trop conseiller aux adultes de ne pas fumer en présence d'un enfant, d'aérer les pièces où ils ont fumé et d'arrêter de fumer si leur enfant est allergique ou asthmatique.

Les manifestations allergiques

La rhinite

Le nez sert de filtre protecteur contre les agressions extérieures que représentent les allergènes inhalés (acariens, pollens, blattes...), le tabac et les polluants atmosphériques. La rhinite allergique est une inflammation des parois nasales provoquée par les allergènes. Sa fréquence a été multiplié par sept en trente ans. Environ 7 % des enfants et 15 % des adolescents en souffrent.

On distingue deux types de rhinites allergiques :

- ***La rhinite périodique saisonnière*** évolue chaque année à la même période pendant quelques semaines. Elle est essentiellement provoquée par les pollens (80 %). Les moisissures peuvent également en être la cause.
- ***La rhinite perannuelle***, de durée plus longue et sans chronologie précise, évolue tout au long de l'année. Les allergènes responsables sont souvent les acariens et les animaux.

Il faut y ajouter certaines rhinites liées à l'exposition passagère à un allergène (éternuements lorsque l'enfant joue avec un ballon de baudruche s'il est allergique au latex, écoulement nasal en présence d'un animal...). Seul un

Attention !
Les parois nasales fragilisées en permanence par des allergènes sont plus sensibles aux odeurs de peinture, de solvant, aux parfums et au tabac. Ces facteurs irritants non spécifiques aggravent la gêne nasale.

Une gêne réelle

La rhinite allergique, que les personnes non concernées ne prennent pas toujours assez au sérieux, et qui fait même parfois sourire, constitue pourtant un véritable handicap pour un enfant, provoquant une fatigue permanente et des difficultés à dormir. L'enfant se mouche fréquemment (les contours de ses narines sont irrités), a du mal à se concentrer et présente des troubles de l'odorat.

bilan allergologique permet d'identifier précisément l'allergène responsable.

Manifestations

Les symptômes de la rhinite allergique sont les suivants :

- démangeaisons des narines ou de l'intérieur du nez – l'enfant se gratte souvent le nez ;
- éternuements qui peuvent se succéder par salves et plusieurs fois par jour ;
- écoulement nasal clair – l'enfant se mouche très fréquemment ;
- obstruction du nez avec impression de ne plus pouvoir respirer.

Ces manifestations s'accompagnent des signes suivants :

- yeux irrités et larmoyants ;
- démangeaisons du palais, des conduits auditifs et des yeux ;
- écoulements dans l'arrière gorge.

Attention !
Chez l'enfant, la rhinite allergique peut prendre la forme de rhinopharyngites à répétition, orientant le diagnostic vers une pathologie infectieuse. En effet, une rhinite allergique se complique fréquemment d'une surinfection, car les parois nasales d'un enfant allergique sont plus sensibles aux microbes et aux virus.

Liens entre le nez et les poumons

Les parois du nez et des bronches se ressemblent et réagissent de la même manière aux agressions allergiques. Toute rhinite allergique débutante peut annoncer un asthme dont l'évolution sera plus sévère si la rhinite allergique n'a pas été correctement prise en charge. Plus de 30 % des enfants atteints de rhinite allergique sont susceptibles de développer un asthme, tandis que 70 % des asthmatiques présentent une rhinite allergique.

TRAITEMENT ET PRÉVENTION

La meilleure solution est d'éviter l'allergène mis en cause ou tout au moins de limiter les contacts. Toutes les mesures préconisées dans les chapitres consacrés aux allergies aux acariens, aux blattes, aux moisissures, aux animaux et aux pollens s'appliquent également si ces derniers sont responsables d'une rhinite allergique.

■ ***Les médicaments*** **:** le médecin prescrira un ou plusieurs médicaments, selon la nature et l'intensité des manifestations. Les antihistaminiques sous forme de sirop, de comprimés ou de pulvérisations nasales et les cromones sous forme de pulvérisations nasales sont les traitements les plus souvent proposés. Les corticoïdes locaux par voie nasale sont également de plus en plus utilisés.

■ ***La désensibilisation*** fait désormais partie des traitements recommandés par l'OMS. Seul le médecin allergologue peut conseiller et établir ce traitement.

■ ***Un bon mouchage*** **:** il est nécessaire d'aider l'enfant à éliminer les sécrétions quand elles sont importantes et de lui apprendre à se moucher correctement : faites-le souffler d'abord par une narine, un doigt appuyé sur l'autre narine pour la boucher, puis recommencer la manœuvre de l'autre côté.

Effectuez plusieurs fois par jour un lavage au sérum physiologique. Placez la tête de l'enfant en arrière, introduisez le sérum dans une narine, puis dans l'autre, en lui faisant dire « ké, ké, ké », puis demandez-lui d'incliner la tête en avant pour éliminer les sécrétions ; il doit éviter de se moucher dans les minutes qui suivent l'application.

L'ablation des amygdales et des végétations n'est indiquée que lorsque leur volume obstrue l'orifice de la trompe d'Eustache et gêne la respiration, ou quand l'enfant présente de nombreuses angines chaque année. Il ne faut donc pas recourir à l'opération de façon systématique : prenez toujours l'avis d'un allergologue au préalable.

Attention !

La rhinite allergique de l'enfant ne doit pas être négligée : effectuez un bilan allergologique et prenez les mesures qui s'imposent, afin que l'affection ne devienne pas chronique et ne favorise pas l'apparition d'un asthme.

La conjonctivite

Les yeux peuvent également être victimes des allergènes. La conjonctivite allergique est la forme la plus fréquente des manifestations oculaires ; c'est une inflammation de la conjonctive de l'œil qui tapisse l'intérieur des paupières et la face antérieure des globes oculaires. Elle se manifeste par des picotements, des démangeaisons, des larmoiements, des brûlures, la sensation d'avoir du sable dans les yeux et des rougeurs.

À savoir
La conjonctivite accompagne fréquemment la rhinite allergique et les manifestations sévères de l'allergie, comme le choc anaphylactique. Des facteurs irritants comme le tabac, les lentilles de contact, une lumière trop intense peuvent aggraver les manifestations.

LES ALLERGÈNES RESPONSABLES

Les allergènes les plus fréquemment responsables sont divers : les acariens et les animaux sont à l'origine de conjonctivites évoluant tout au long de l'année ou dans des situations particulières (ménage, cirque), tandis que les pollens et les moisissures provoquent des épisodes de conjonctivite allergique printanière.

Conseil
Il faut éviter de se frotter les yeux quand on est allergique à un animal et porter des lunettes de soleil lors des pics de pollens.

L'asthme

L'asthme est la maladie chronique la plus fréquente chez l'enfant. Un futur asthmatique naît en France toutes les 10 minutes, et, en vingt ans, le nombre d'enfants asthmatiques a doublé – parallèlement à l'explosion des maladies allergiques. L'asthme est donc devenu une priorité de la Santé publique.

Mal connu, insuffisamment diagnostiqué et pris en charge, l'asthme est une maladie qui effraie souvent les parents. Mais il faut savoir que si le diagnostic est posé suffisamment tôt et si l'enfant est correctement traité, il pourra mener une vie tout à fait normale.

L'asthme est une maladie respiratoire : les bronches, qui permettent à l'air de circuler dans les poumons, sont irritées ; elles s'enflamment et se contractent, s'encombrent de glaires, tandis que leurs parois s'épaississent. Il en résulte un rétrécissement des voies respiratoires et donc une gêne importante (l'air passe mal dans les bronches).

L'asthme en chiffres

- 3 500 000 asthmatiques en France, dont un tiers d'enfants de moins de 15 ans.
- 10 à 15 % des enfants touchés, soit 2 ou 3 élèves par classe.
- L'asthme est la première cause d'absentéisme scolaire (25 % des absences).
- Le nombre d'enfants atteints double tous les 10 ans. Les garçons sont plus touchés que les filles.
- Les allergies sont à l'origine de 85 % des cas d'asthme de l'enfant.
- Un asthme sur deux débute avant 5 ans.

Manifestations

La crise d'asthme typique **:** l'enfant a beaucoup de difficultés à inspirer et encore davantage à expirer l'air contenu dans ses poumons, comme s'il respirait à travers une paille bouchée. L'air emprisonné dans sa poitrine circule difficilement dans les bronches rétrécies, ce qui déclenche une toux et un sifflement caractéristique, inquiétants pour l'enfant et ses parents.

La majorité des enfants asthmatiques présentent des manifestations modérées avant le début d'une crise : nez qui coule, gorge qui gratte, yeux qui démangent, éternuements, fatigue, pâleur, yeux cernés, maux de tête.

L'asthme en chiffres (suite)

- Selon une étude récente portant sur des enfants asthmatiques, 1 enfant sur 3 est gêné au cours de la journée ou pendant son sommeil, 52 % ont manqué l'école, 36 % ont eu recours à des visites en urgence, 7 % ont été hospitalisés.

Les autres expressions : les symptômes de l'asthme ont beaucoup évolué au cours de ces vingt dernières années. Contrairement à la crise typique, rapidement diagnostiquée par la majorité des adultes, des manifestations moins caractéristiques de la maladie (appelées « équivalents mineurs de l'asthme ») peuvent passer plus ou moins inaperçues – du moins dans un premier temps. Il en résulte souvent un retard de diagnostic et une aggravation de l'état de santé de l'enfant.

Soyez donc vigilant si vous constatez :

- une toux fréquente évoluant depuis plusieurs semaines (voire plusieurs mois ou années) ;
- une toux sèche, nocturne, le plus souvent entre 2 et 4 heures du matin, mais également à d'autres moments, particulièrement au coucher ;
- des quintes de toux lorsque l'enfant joue, rit, pleure ou s'agite ;
- une toux survenant à l'arrêt de certains sports d'endurance (jogging, vélo, par exemple) ;
- une toux importante, fréquente, persistant plusieurs jours ou plusieurs semaines lors de rhinopharyngites ;

Cas d'urgence

Une crise d'asthme peut être une menace vitale. Si votre enfant présente les symptômes suivants, appelez immédiatement le SAMU (15 depuis un téléphone fixe, 112 depuis un téléphone mobile), afin qu'il soit hospitalisé de toute urgence : essoufflement important, lèvres bleutées, pâleur et cernes ; respiration sifflante ; difficulté à souffler dans le débit-mètre de pointe ; débit respiratoire de pointe inférieur à 50 % par rapport à sa valeur normale ; aucun soulagement notable après deux bouffées de broncho-dilatateurs d'action rapide.

- une toux se déclenchant en présence d'un animal, dans une maison humide ou poussiéreuse, ou à certaines périodes de l'année (pollens.) ;
- un essoufflement permanent ;
- des bronchites à répétition, sifflantes, asthmatiformes.

Savoir reconnaître ces manifestations est une étape fondamentale du diagnostic et du traitement précoce de l'asthme. En cas de doute, ne tardez pas à consulter votre médecin, qui vous conseillera d'effectuer un bilan allergologique, surtout si l'enfant présente également un eczéma, des épisodes d'urticaire ou des rhinopharyngites à répétition, ou s'il existe des antécédents d'asthme et d'allergie dans la famille. En effet, la maladie asthmatique peut se comparer à un iceberg dont la partie extérieure visible correspond à la crise typique évoquée plus haut, et la partie immergée à ces autres expressions, apparemment modérées et inoffensives appelées encore « équivalents mineurs de l'asthme ».

À savoir
Un enfant asthmatique est plus gêné la nuit . En effet, entre 2 et 4 heures du matin, l'organisme réduit sa production de substances destinées à protéger contre les inflammations, ce qui entraîne une plus grande sensibilité des bronches. D'autre part, lorsque l'enfant est en position allongée, les bronches les plus basses ont tendance à se fermer davantage. Enfin la nuit, la chambre est souvent fermée, peu aérée, parfois trop chauffée, ce qui favorise le développement des acariens, souvent mis en cause dans l'asthme de l'enfant.

L'asthme du nourisson

L'asthme du nourrisson passe trop souvent inaperçu, car il est méconnu.
Un nourrisson qui a présenté au moins trois épisodes de sifflements respiratoires, désignés couramment par « bronchiolite », « bronchiolite sifflante », « bronchiolite asthmatiforme » ou « crise sifflante », doit être considéré comme un enfant asthmatique. Mais beaucoup de médecins hésitent encore à parler d'asthme, afin de ne pas alarmer les parents. Il en résulte malheureusement une insuffisance de la prise en charge de l'asthme du bébé.

Attention !
Un sifflement ou/et une toux chronique ne sont pas forcément dus à l'asthme ; ils peuvent avoir pour origine la mucoviscidose, la présence d'un corps étranger dans la bouche de l'enfant, un reflux gastro-œsophagien... C'est au médecin de le déterminer.

Des origines diverses

On peut se demander pourquoi certains enfants développent un asthme et pas d'autres. Il faut dire tout d'abord qu'il existe une prédisposition génétique et familiale se traduisant par une tendance à développer une hypersensibilité des bronches. L'existence d'un ou de plusieurs asthmatiques dans la famille permet déjà d'évoquer l'asthme chez un enfant « tousseur ». Par ailleurs, l'asthme est une maladie complexe provoquée par une sensibilité exagérée des bronches à de nombreux éléments, qu'on appelle « facteurs irritants non spécifiques ». Ceux-ci interviennent différemment en fonction des enfants et selon l'évolution de leur maladie.

Les principaux facteurs irritants non spécifiques sont les virus, les polluants (aérosols, gaz d'échappement, peinture...), le tabagisme passif, certains médicaments (aspirine, anti-inflammatoire non stéroïdien), l'activité physique (une crise peut être déclenchée par un effort intense et durer quelques minutes, surtout si le temps est froid et sec). Le stress et l'anxiété peuvent aggraver un asthme préexistant, mais ils ne sont jamais la cause de la maladie. L'état psychique peut intervenir, comme c'est le cas pour de nombreuses affections, dans le déclenchement d'une crise.

ASTHME ET ALLERGIES

L'asthme infantile est étroitement lié aux allergies, qui sont à l'origine de 85 % des cas. Les allergènes les plus fréquemment mis en cause sont les acariens, les animaux, les moisissures, les pollens et les aliments. Un bilan allergologique permet de déterminer le ou les responsables, de mettre en place les mesures d'éviction et d'envisager une désensibilisation.

Rhinite et asthme

Les parois du nez et les bronches réagissant de la même manière aux agressions, l'asthme est très souvent lié à une rhinite allergique, ce qu'ont révélé de nombreuses études : le risque de développer un asthme est trois fois plus important chez les enfants souffrant d'une rhinite allergique, 40 % des rhinites allergiques évoluent vers un asthme, et 70 % des asthmatiques ont une rhinite allergique.

Le diagnostic de l'asthme

Le bilan allergologique

L'interrogatoire, les tests cutanés et le bilan sanguin permettent d'identifier la plupart du temps le ou les allergènes responsables de l'asthme.

Le débit-mètre de pointe

Ce petit appareil permet de mesurer le flux expiratoire maximal, ou débit expiratoire de pointe, c'est-à-dire jusqu'à quelle vitesse l'air peut circuler au cours d'une expiration forcée, après que le patient a gonflé ses poumons au maximum. Le score obtenu est ensuite comparé avec une valeur théorique établie en fonction de l'âge, de la taille et du sexe : s'il est inférieur, cela témoigne d'une limitation du flux aérien, et donc d'une gêne respiratoire.

Tous les médecins devraient être équipés de cet appareil et demander aux enfants d'effectuer une mesure dès qu'ils en sont capables, c'est-à-dire à partir de l'âge de 4 ans environ. Cela permettrait probablement un meilleur dépistage de la maladie. Exemples : un enfant mesurant 1,20 m doit obtenir un chiffre de 200 l/ min ; un enfant mesurant 1,30 m doit obtenir 235 l/ min.

Utilisation du débit-mètre de pointe

- Mettez l'enfant debout (si possible) ;
- vérifiez que le curseur est à zéro ;
- demandez à l'enfant d'inspirer profondément en gonflant sa poitrine ;
- introduisez l'embout dans sa bouche et dites-lui de serrer les lèvres ;
- demandez-lui de souffler le plus fort et le plus vite possible ;
- notez le chiffre indiqué par le curseur ;
- remettez le curseur à zéro ;
- recommencez trois fois l'opération ;
- notez le meilleur résultat.

Conseil aux parents
Si votre enfant doit subir une exploration fonctionnelle respiratoire, veillez à ne pas fumer à côté de lui pendant les heures qui précédent l'examen. Rassurez-le en lui expliquant que cet examen est indolore, qu'il devra juste souffler lentement et calmement, puis très fort et longtemps.

La radio des poumons

La radio du thorax permet de vérifier les signes d'un asthme sévère, l'existence d'une surinfection pulmonaire ou bronchique, ainsi que de dépister d'autres maladies responsables de symptômes identiques. Dans la majorité des cas, la radiographie est normale, ce qui laisse croire aux parents que leur enfant n'est pas asthmatique. Or une radio normale n'exclut pas le diagnostic d'asthme.

***L'exploration fonctionnelle respiratoire* (EFR)**

Seule l'exploration fonctionnelle respiratoire permet de confirmer le diagnostic de l'asthme. Elle consiste à mesurer le volume et le débit de l'air qui passe dans les bronches, rétrécies en cas d'asthme. Elle peut être réalisée sans problème sur des enfants à partir de 3 ou 4 ans. Pour les patients plus jeunes, elle est pratiquée dans des centres spécialisés.

Cet examen essentiel est indolore, rapide, fiable, remboursé par la sécurité sociale; il s'effectue en une demi-heure environ. Le résultat est immédiat et aussitôt commenté par le médecin qui l'a mis en œuvre. L'EFR doit être pratiquée une ou deux fois par an (selon les indications du médecin) pendant plusieurs années.

Attention !

L'exploration fonctionnelle respiratoire doit être également pratiquée lorsque l'enfant va bien et ne semble pas présenter de manifestation de sa maladie; car il existe très souvent une discordance entre un état physique apparemment normal et une fonction respiratoire perturbée, témoin de l'évolution sournoise de l'asthme.

Le sous-diagnostic de l'asthme en France

Je voudrais ici pousser un cri d'alarme : de trop nombreux parents et médecins croient encore que l'asthme de l'enfant disparaît à la puberté. Cette erreur les conduit à négliger cette maladie, entraînant une aggravation de l'affection chez les enfants insuffisamment traités ou trop tardivement. Or, grâce aux progrès de la thérapeutique, un enfant asthmatique dépisté et traité assez tôt peut vivre tout à fait normalement à l'âge adulte.

Il y a vingt ou trente ans, on ne décrivait l'asthme aux étudiants en médecine dont j'étais que sous sa forme la plus évidente (voir plus haut les symptômes de la crise typique), alors que les sifflements caractéristiques ne sont le plus souvent que la partie visible de l'iceberg. Il en résulte que de nombreux médecins qui exercent aujourd'hui ne savent pas dépister les « équivalents mineurs de l'asthme » (voir plus haut) et y déceler les premières manifestations de la maladie. Pourtant, il suffirait aux pédiatres et aux généralistes d'utiliser systématiquement un débitmètre de pointe en consultation pour que le bon diagnostic soit rapidement évoqué ; ils feraient alors gagner à l'enfant de précieuses années en l'orientant vers un allergologue ou un pneumologue...

Attention !
De nombreux enfants ignorent leur maladie puisque, selon des études, 30 à 40 % des asthmatiques ne sont pas diagnostiqués comme tels.
Ce pourcentage fait frémir quand on sait que l'asthme est la seule maladie chronique dont le nombre de victimes (2 000 morts chaque année) n'a pas baissé depuis vingt ans, malgré des traitements de plus en plus performants.

Vaincre la peur

Le mot « asthme » fait souvent très peur aux parents, qui imaginent alors leur enfant ne pouvant plus respirer et suffoquant... De ce fait, ils ne sont pas toujours prêts à entendre le diagnostic et préfèrent chercher des explications moins angoissantes à la toux de leur enfant ou à son manque de goût pour le sport. Mais se voiler ainsi la face diminue les chances de guérison de l'enfant et peut faire de sa vie future un enfer !
Les mentalités doivent évoluer, et les médecins doivent pouvoir informer correctement les parents et les rassurer.

COMMENT SOIGNER L'ASTHME

L'asthme est une maladie qui se soigne bien aujourd'hui. Les différents traitements mis à la disposition des malades sont associés à des mesures de prévention, destinées à contrôler les facteurs allergiques mis en cause dans 85 % des cas, ainsi que les facteurs irritants non spécifiques (tabac, virus...). Malheureusement, il n'est pas encore possible de guérir de manière définitive, mais une prise en charge globale efficace permet de diminuer, voire de supprimer les symptômes.
On distingue les médicaments pour soulager une crise, les traitements de fond et la lutte contre les allergies.

Le soulagement d'une crise

Les médicaments broncho-dilatateurs d'action rapide

Ils apportent un soulagement immédiat en cas de crise, lorsque l'enfant éprouve des difficultés respiratoires (toux violente, sifflement, essoufflement). Ils ouvrent et dilatent immédiatement les bronches contractées. La respiration s'améliore en quelques minutes.
L'utilisation de ces médicaments provoque encore aujourd'hui de grandes frayeurs : « c'est mauvais pour le cœur, il

Attention !

L'enfant doit apprendre à bien utiliser ses médicaments, afin d'en tirer un maximum d'efficacité. Selon certaines études, plus de 50 % des asthmatiques ne savent pas se servir correctement de leurs aérosols. Le médecin doit prendre le temps d'expliquer à l'enfant et à ses parents la meilleure façon de procéder : c'est une étape importante de la prise en charge de l'enfant asthmatique. Je reçois encore beaucoup d'asthmatiques qui ne savent pas utiliser ces médicaments, qui leur sont pourtant prescrits depuis plusieurs mois, voire plusieurs années !

ne va pas en prendre toute sa vie, on m'a dit que cela ne servait à rien » entend-on couramment. Certains parents sont très réticents à utiliser les broncho-dilatateurs, dont ils redoutent les effets secondaires – il est vrai que ceux-ci provoquent parfois quelques tremblements et une légère tachycardie, mais toujours sans gravité. Le médecin doit parfois ruser pour contourner les appréhensions des parents, en prescrivant un médicament aux propriétés identiques, mais plus récent et moins connu. Or il faut savoir que les broncho-dilatateurs ne sont pas dangereux s'ils sont pris correctement, sous contrôle médical. En revanche, ne pas les administrer à son enfant lorsque celui-ci est en crise peut avoir de très graves conséquences.

Les broncho-dilatateurs peuvent être utilisés par voie orale, par inhalation ou par injection. La plupart du temps, les médecins conseillent les broncho-dilatateurs inhalés, qui permettent au médicament d'atteindre les plus petites bronches et d'agir rapidement. Ils peuvent être prescrits en aérosol doseur ou sous forme de poudre sèche.

Broncho-dilatateurs
Il existe plusieurs sortes de broncho-dilatateurs d'action rapide. Évitez de les associer sans l'avis de votre médecin.

Attention !

Quand un enfant utilise un aérosol doseur sans chambre d'inhalation, deux erreurs de manipulation sont à éviter :

- une mauvaise synchronisation lorsque la pression sur le flacon n'est pas effectuée au même moment que l'inspiration ;
- un défaut d'efficacité quand la respiration n'est pas suffisamment retenue après l'inhalation du produit (c'est pourquoi on demande à l'enfant de compter jusqu'à 10 en bloquant sa respiration).

Conseils
Afin que l'efficacité du broncho-dilatateur soit optimale, vérifiez que l'inhalateur fonctionne correctement, que l'aérosol n'est ni vide ni périmé et que l'enfant l'utilise correctement. Ayez toujours un deuxième médicament ou une recharge à disposition.

La chambre d'inhalation

Une chambre d'inhalation est fortement conseillée pour les bébés et les jeunes enfants qui ne sont pas capables d'utiliser les aérosols correctement. Il s'agit d'un réservoir en plastique, transportable, qui retient le médicament volatilisé. Plusieurs types de chambre d'inhalation sont disponibles, en fonction du broncho-dilatateur prescrit. L'aérosol doseur s'emboîte dans un côté du réservoir. L'enfant respire le produit à l'aide de la valve située à l'autre extrémité de la chambre d'inhalation. Le médicament se diffuse dans les bronches lorsque l'enfant inspire. La valve se refermant lors de l'expiration, la totalité du médicament contenu dans le réservoir réussit à parvenir jusqu'aux bronches au bout de plusieurs respirations.

L'inhalateur de poudre sèche

Lorsque le médicament est conditionné sous forme de poudre sèche, l'enfant inspire profondément dans un inhalateur, afin que la poudre se diffuse dans ses bronches. Ce système offre l'avantage d'éviter le problème de la synchronisation, parfois difficile avec les aérosols doseurs.

Indication des broncho-dilatateurs

Les broncho-dilatateurs ne doivent être utilisés que lorsque l'enfant présente une gêne respiratoire. Ils agissent rapidement, dès qu'ils arrivent sur la paroi des bronches. La posologie conseillée est en général de quatre à huit bouffées par jour, selon l'importance de la gêne.

Ces médicaments sont également conseillés 10 minutes avant un effort risquant de déclencher une crise, ou lorsque l'enfant se rend dans un lieu où il risque d'être gêné (maison poussiéreuse, présence d'un animal auquel il est allergique, cirque...), ou encore quand il fait froid et sec.

LES TRAITEMENTS DE FOND

Les traitements de fond visent à contrôler l'asthme et à éviter son aggravation. Ils permettent de lutter contre l'inflammation, diminuant ainsi la fréquence des crises et le recours aux médicaments broncho-dilatateurs d'action rapide. Ils doivent être pris quotidiennement, pendant une période plus ou moins longue et sous surveillance médicale. Ils ne soulagent pas en cas de crise, contrairement aux médicaments broncho-dilatateurs d'action rapide, mais agissent préventivement.

Les corticoïdes inhalés

Les corticoïdes inhalés diminuent l'inflammation et l'œdème des parois bronchiques, à l'origine de la maladie. Ils permettent ainsi de réduire la fréquence et l'intensité des crises.
Ces médicaments agissent plus lentement que les broncho-dilatateurs d'action rapide et ne provoquent pas une sensation de soulagement instantané comparable (ce qui fait parfois douter, à tort, de leur efficacité), mais ils représentent le traitement majeur de l'asthme chronique.
Comme les broncho-dilatateurs d'action rapide, ces anti-inflammatoires se présentent sous forme d'aérosol doseur

Attention !

Il ne faut jamais interrompre un traitement de fond sans l'accord de son médecin, même si l'enfant semble aller mieux. En effet, l'asthme est une maladie chronique comme le diabète ou l'hypertension artérielle. Non traitée, il continue d'évoluer sournoisement, sans que l'on s'en rende compte.

À savoir
De nombreuses études ont démontré que l'usage de corticoïdes inhalés aux doses habituellement prescrites n'empêche pas un enfant de grandir normalement. Aucun retentissement définitif sur la croissance n'a pu être mis en évidence, même en cas de doses élevées. En revanche, l'asthme lui-même peut, s'il est suffisamment sévère, avoir une influence sur la taille adulte du malade. Les enfants asthmatiques traités trop tardivement s'exposent donc à un ralentissement de leur croissance. Il semble néanmoins indispensable de définir, pour chaque enfant, la dose minimale efficace.

ou de poudre sèche. Le médecin détermine la dose et la durée de traitement nécessaire, en fonction de l'importance de la gêne respiratoire, de la mesure du souffle et du recours aux broncho-dilatateurs d'action rapide. La posologie peut bien sûr être ensuite modifiée en fonction de l'évolution de l'asthme.

Effets secondaires

Ils sont peu nombreux, jamais sévères, et sans commune mesure avec les effets indésirables des corticoïdes administrés par voie orale. Une modification de la voix, avec enrouement fréquent, et des mycoses buccales peuvent parfois apparaître. Ces inconvénients peuvent être diminués ou supprimés par un rinçage systématique après l'inhalation.

Les autres médicaments

Les corticoïdes **:** lorsque les manifestations de l'asthme s'aggravent, malgré les corticoïdes inhalés et les broncho-dilatateurs, un corticoïde sous forme de comprimés ou de gouttes peut être prescrit pour quelques jours, afin d'enrayer la crise. Ses effets secondaires sont négligeables si le traitement ne dépasse pas une ou deux semaines. On note toutefois une augmentation de l'appétit et une légère prise poids chez certains patients. Les effets indésirables deviennent plus importants si le nombre de prises de corticoïde augmente dans l'année.

Les médicaments broncho-dilatateurs à action retardée ou de longue durée **:** ils permettent de maintenir les bronches dilatées et de diminuer la gêne respiratoire permanente. Toujours prescrits en association avec des corticoïdes inhalés, ils sont utilisés lorsque l'asthme n'est pas suffisamment contrôlé.

Le cromoglycate de sodium **:** ce médicament anti-allergique bronchique est parfois maintenu en traitement de fond et conseillé pour prévenir l'asthme provoqué par l'effort.

Les médicaments mucolytiques : ils sont conseillés lorsqu'il existe une hypersécrétion bronchique, fréquemment observée chez les asthmatiques.

Les antibiotiques : ils sont prescrits en cas de surinfection bronchique.

Les antileucotrières : ces nouveaux médicaments agissent en bloquant l'action des leucotrières, importants médiateurs de l'inflammation des voies respiratoires. Ils sont utilisés dans la prévention de l'asthme de l'effort, et ont leur place dans un traitement de fond de l'asthme incomplètement contrôlé par les corticoïdes inhalés, car ils offrent l'avantage de s'utiliser par voie orale.

À savoir
Il existe désormais des médicaments associant l'action anti-inflammatoire d'un corticoïde et une action broncho-dilatatrice de longue durée : l'enfant ne prend plus qu'un seul médicament quotidien, ce qui favorise une meilleure observance du traitement de fond.

LA LUTTE CONTRE LES ALLERGIES

La lutte contre les allergies, responsables dans 85 % des cas de l'asthme de l'enfant, est une priorité du traitement de fond de la maladie. Elle implique de réduire les facteurs de risques allergiques, mais aussi de diminuer l'exposition aux facteurs irritants non spécifiques (fumée du tabac, pollution atmosphérique et domestique) et de traiter les infections respiratoires.

La désensibilisation représente le seul traitement préventif et curatif des allergies. Elle est reconnue par l'OMS. Seul le médecin allergologue peut la conseiller et la mettre en place (voir p. 147).

La kinésithérapie respiratoire soulage un enfant présentant une crise d'asthme en luttant contre l'encombrement bronchique. Elle peut également être l'occasion d'apprendre à faire un usage correct des médicaments inhalés : le praticien enseigne à l'enfant à mieux maîtriser son

Attention !
Les enfants atteints d'un asthme grave persistant ne doivent pas monter à plus de 1 500 mètres d'altitude.

souffle, à utiliser son aérosol et son débit-mètre de pointe, ainsi qu'à gérer les crises avec plus de calme.

Les cures climatiques s'adressent essentiellement aux enfants présentant un asthme sévère, mal équilibré, malgré un traitement de fond. Elles constituent un traitement d'appoint utile qui permet de soulager les symptômes (à moyenne altitude, on note une diminution des acariens), mais en aucun cas un traitement de fond. Elles sont remboursées par la sécurité sociale après accord préalable du médecin conseil de la caisse. Les principales stations sont Briançon (1 350 mètres d'altitude), Mont Dore (1 050 mètres), La Bourboule (850 mètres), le col des Marrous, dans les Pyrénées (1 000 mètres), et Font-Romeu (1 600 mètres).

SPORT ET ASTHME

Un enfant asthmatique doit vivre normalement. Bien traité et pris en charge correctement, il peut faire du sport, en prenant un certain nombre de précautions. En réalité, on constate qu'un enfant asthmatique sur quatre limite ses activités physiques. Certains enfants s'excluent même de tous les sports, s'isolant et se renfermant sur eux-mêmes. Pourtant, la pratique d'un sport peut améliorer la capacité respiratoire, tout en permettant à l'enfant de mieux s'intégrer dans sa classe ou dans un autre groupe et d'affirmer sa personnalité.

Sports conseillés

La natation est un sport excellent ne déclenchant que rarement une crise. L'eau ne doit être ni trop froide ni trop chlorée.

Le ping-pong, le roller, les arts martiaux permettent de nombreuses pauses, qui laissent à l'enfant le temps de récupérer. Tous les sports d'équipe sont recommandés, à condition que l'enfant choisisse une place en fonction de ses capacités.

À savoir
Il n'existe aucune région géographique protégée ; on trouve des enfants asthmatiques et allergiques un peu partout en France. S'il est vrai que l'on note souvent quelques améliorations à une altitude de 1 000 mètres, déménager pour s'installer en montagne n'apporte pas toujours les bénéfices escomptés. Demandez l'avis de votre allergologue avant de prendre la décision de déménager.

Sport interdit

La plongée sous-marine en bouteille est formellement interdite : en cas de crise, l'enfant ne pourra pas prendre son médicament broncho-dilatateur ; d'autre part, l'air comprimé contient des substances qui fragilisent les bronches, et le fond de l'eau est très froid – ces deux facteurs peuvent provoquer des crises.
L'enfant peut cependant plonger en apnée, à condition d'être accompagné d'un adulte averti de son état.

Sports déconseillés

Si l'enfant est allergique aux animaux, l'équitation est contre-indiquée : une sensibilisation éventuelle aux squames de cheval, allergène très puissant, peut provoquer une crise sévère.
Il faut éviter certains sports violents, comme le squash.

PRÉCAUTIONS À PRENDRE POUR LA PRATIQUE SPORTIVE

1. L'asthme doit être parfaitement équilibré avant le début de l'exercice (la surveillance du débit-mètre est parfois nécessaire).
2. Un échauffement de 10 à 15 minutes est conseillé avant l'effort.
3. Quand le temps est froid et sec – situation pouvant provoquer une crise –, il est parfois préférable d'éviter les sports d'endurance comme le jogging ou le vélo.

Attention !
Le recours trop fréquent aux médicaments broncho-dilatateurs peut indiquer une aggravation de l'asthme : il faut immédiatement prendre l'avis du médecin.

4 Il arrive que l'enfant présente un asthme d'effort : après avoir couru, il a une quinte de toux ou une crise d'asthme susceptible de durer de quelques minutes à une heure en l'absence de traitement. La prise d'un médicament broncho-dilatateur d'action rapide dix minutes ou d'un comprimé d'antileucotriène avant le sport peut éviter cette gêne.
5 L'enfant doit toujours avoir sur lui un broncho-dilatateur d'action rapide.
6 Il ne faut pas forcer un enfant qui ne se sent pas bien. Celui-ci doit pouvoir interrompre le sport s'il est gêné.
7 Lors des pics de pollution (ou des pics de pollen, s'il y est allergique), l'enfant évitera de pratiquer le sport.
8 Une infection, une fièvre sont des contre-indications pour le sport.
9 Se méfier de l'apparition d'une fatigue anormale, d'une gêne respiratoire ou d'une douleur survenant pendant un effort ou après la fin d'un exercice.

UNE ATTITUDE RESPONSABLE

À savoir
De nombreux sportifs de haut niveau sont asthmatiques. Ainsi, 15 % des athlètes des jeux Olympiques d'Albertville (1992) présentaient un asthme.

La maladie asthmatique n'est pas une fatalité. Comme nous l'avons déjà dit, un enfant asthmatique bien suivi doit pouvoir vivre normalement, sans manquer l'école ni être hospitalisé pour sa maladie. Malheureusement, toutes les études révèlent que près d'un asthmatique sur deux est insuffisamment traité. Quand on sait que, en outre, près d'un asthmatique sur deux n'est pas diagnostiqué en tant que tel, cela signifie que seuls 25 % des asthmatiques sont correctement soignés.
Or un enfant asthmatique insuffisamment traité prend le

risque de voir sa maladie s'aggraver au fil des années. La prise en charge de la maladie asthmatique passe donc avant tout par une bonne éducation de l'enfant et de ses parents.

À savoir
Une grande enquête européenne a démontré que :
- 25 % des asthmatiques prennent bien leur traitement ;
- seuls 5 % ont réellement une bonne qualité de vie ;
- 28 % pensent que les médicaments proposés ne sont pas indispensables ;
- 90 % des asthmatiques sévères sont insuffisamment traités.

Éduquer l'enfant et ses parents

De nombreuses études internationales ont démontré que les enfants ayant bénéficié d'une prise en charge efficace obtiennent un meilleur contrôle de la maladie asthmatique. Ils sont beaucoup moins gênés dans leur vie quotidienne, s'absentent moins de l'école, font moins de crises violentes et sont moins hospitalisés.

La relation qui s'établit entre le médecin et ses patients doit avant tout être basée sur la confiance. Le praticien doit commencer par écouter l'enfant et ses parents, comprendre leurs angoisses et leurs attentes, appréhender leurs besoins, dédramatiser la maladie et les aider à accepter de vivre avec elle. Plusieurs consultations sont souvent nécessaires pour éduquer correctement un enfant asthmatique : il faut expliquer les causes et les mécanismes de la maladie, les facteurs déclenchants, l'intérêt de prendre un traitement de fond, les mesures de prévention – j'ai constaté, au cours de mes vingt années d'exercice, qu'il faut répéter inlassablement les même principes aux même personnes au cours des consultations successives, car, à la moindre baisse de vigilance, les patients lâchent prise et interrompent leur traitement.

Il est essentiel que les parents sachent reconnaître les différentes manifestations de la maladie. Ce n'est pas parce qu'un enfant ne « siffle » pas qu'il n'est pas asthmatique. On voit trop souvent des enfants qui toussent en permanence, qui sont essoufflés et fatigués, mais qui ne prennent pas leur traitement parce que leurs parents sont persuadés qu'il ne s'agit pas d'asthme. Le rôle du médecin est donc de faire accepter la maladie, le principe du traitement au long cours et d'une surveillance régulière afin de permettre à l'enfant de vivre comme ses camarades.

Les écoles de l'asthme

Des écoles ont été mises en place par l'association asthme, depuis dix ans, afin d'aider les asthmatiques à mieux comprendre leur maladie et à apprendre à vivre avec. Les malades qui s'y retrouvent bénéficient des services de médecins, infirmières, psychologues et kinésithérapeutes.

Les enfants apprennent à bien mesurer leur souffle, à utili-

Le rôle éducatif du médecin

Le médecin doit apprendre à l'enfant et à ses parents :

- à limiter les facteurs aggravants (tabagisme, infection, stress, pollution domestique) ;
- à contrôler l'environnement quotidien de l'enfant pour diminuer son exposition aux allergènes (acariens, animaux, moisissures, aliments) ;
- à différencier le traitement de la crise du traitement au long cours ;
- à utiliser correctement les techniques d'inhalation ;
- à ne jamais interrompre le traitement de fond sans avis médical ;
- à surveiller l'évolution de la maladie à l'aide du débit-mètre de pointe (des mesures quotidiennes permettent de prévoir l'arrivée d'une crise, avant même que l'enfant en ressente les signes annonciateurs) ;
- à reconnaître les signes précurseurs d'une crise ;
- à prévenir l'apparition d'une crise (en cas de départ en colonie, d'infection, de spectacle de cirque, d'air froid et sec...) ;
- à prendre les précautions qui s'imposent en ce qui concerne le sport ;
- à réagir en cas de crise ;
- à réagir en cas d'urgence ;
- à surveiller l'asthme régulièrement, même en l'absence de gêne respiratoire.

ser correctement leurs médicaments, à se relaxer quand une crise survient et à mettre en œuvre toutes les mesures nécessaires pour éviter les facteurs déclenchants. Ils apprennent également à améliorer leur qualité de vie.
Le nombre et la durée des ateliers dépendent de chaque école, de la sévérité de l'asthme de l'enfant et de l'évolution de la maladie. La plupart sont situés dans des centres hospitaliers. Un premier atelier permet de comprendre comment l'enfant se représente sa maladie et quels sont ses préjugés ou ceux de son entourage. Des consultations individuelles ou des séances d'éducation en groupe sont ensuite proposées, les besoins étant différents d'un enfant à l'autre.

MAÎTRISER SON ASTHME EN S'AMUSANT

De nombreux jeux ont été mis au point par des équipes médicales pour éduquer les enfants.

Le jeu de pailles

Il permet à l'enfant de comprendre que les bronches ressemblent à des pailles qui laissent passer plus ou moins d'air. L'enfant souffle à travers des pailles de diamètre différent et constate que sa gêne respiratoire ressemble à la respiration effectuée dans la paille la plus fine. Il observe ensuite un soulagement en soufflant dans une paille plus large, comme s'il avait utilisé un broncho-dilatateur d'action rapide pendant une crise.

Le jeu des petits ballons

L'enfant effectue des exercices lui permettant de se relaxer et de contrôler les premières manifestations de la crise d'asthme.

L'harmonica

Les premiers ateliers d'harmonica ont été organisés en 1997 par l'association ASTHME, au cours des États généraux de l'asthme, en collaboration avec l'harmoniste Jean-Jacques Milteau. L'harmonica est un instrument qui présente la particularité d'émettre des sons différents selon que l'on inspire ou que l'on expire l'air. Il permet donc de comprendre qu'inspirer et expirer sont deux aspects différents de la respiration, découverte fondamentale pour l'enfant, qui ne sait pas toujours faire la différence, ce qui l'empêche parfois d'inhaler correctement ses médicaments.

Le CD ROM « Tout en jouant »

Ce CD ROM confronte l'enfant à des situations pratiques, des scénarios qui lui permettent de s'exercer à prendre les bonnes décisions. Par exemple, si l'enfant se voit proposer une situation précise comme « j'ai du mal à respirer », il doit choisir entre trois ou quatre possibilités de comportement. À chaque étape du jeu, bien adapté aux 7-9 ans, l'enfant peut bénéficier d'une aide pour trouver la situation la plus adaptée.

PERSPECTIVES

L'asthme empêche les poumons de l'enfant de se développer normalement. Quand il n'est pas traité ou mal, la gêne respiratoire risque de s'aggraver. La vie familiale et scolaire s'en trouve perturbée, d'autant que les hospitalisations deviennent de plus en plus fréquentes. À long terme, l'inflammation bronchique entraîne une insuffisance respiratoire, véritable handicap. Une crise sévère peut même provoquer un accident respiratoire, aux conséquences parfois mortelles. On comprend donc toute l'importance d'un diagnostic précoce et d'un traitement sérieux adapté.

Les parents d'un enfant asthmatique en cours de traitement s'interrogent toujours sur les perspectives à moyen ou long terme. Malheureusement, il faut leur avouer que, dans le cadre de cette maladie, il est difficile d'envisager une guérison définitive. En effet, si dans 30 à 50 % des cas l'asthme s'atténue ou disparaît à l'adolescence, il arrive qu'il réapparaisse des années plus tard, à 30, 40 ou 50 ans. On a même observé des cas où l'asthme, modéré dans l'enfance et peu important, voire absent à l'âge adulte, est devenu plus sévère tardivement.

Toutefois, un traitement de fond bien suivi, associé à une bonne prise en charge de la maladie, permet de diminuer ou de faire disparaître les symptômes. Les crises diminuent ou disparaissent, le recours aux médicaments broncho-dilatateurs d'action rapide est de moins en moins fréquent, et l'on constate une normalisation lors des explorations fonctionnelles respiratoires. L'enfant peut alors mener une vie tout à fait normale.

Attention !
On a tort de croire que l'asthme disparaît systématiquement à la puberté. Cette affirmation est même dangereuse, car elle conduit certains parents et enfants à négliger les traitements de fond, persuadés que tout finira par s'arranger. Ce faisant, ils favorisent une aggravation de la maladie.

Les problèmes de peau

LA DERMATITE (ECZÉMA) ATOPIQUE

La dermatite atopique, encore appelée « eczéma atopique », touche 8 à 10 % des enfants et représente la manifestation la plus précoce des maladies allergiques. Elle débute en général entre l'âge de 2 et 6 mois chez un enfant issu d'une famille atopique.

L'eczéma est une inflammation de la peau qui s'accompagne de démangeaisons, de plaques rouges, puis de petites vésicules qui suintent, se transformant ensuite en croûtes. On note une alternance de poussées plus ou moins sévères et de périodes de rémission. La maladie se développe plus particulièrement sur les joues et derrière les oreilles, dans le creux des coudes et des genoux, sur les doigts et les chevilles. Elle n'est pas contagieuse.

Le nombre d'enfants atteints de dermatite atopique a beaucoup augmenté ces dernières années. La diversification alimentaire trop précoce, l'agression de la peau par des nettoyages trop fréquents, les vaccinations, la pollution domestique et atmosphérique peuvent expliquer cet accroissement.

La dermatite atopique ne menace pas la vie du bébé, qui grandit et grossit normalement. Mais l'enfant pleure souvent, est irritable, se griffe et se démange. Ses nuits sont souvent écourtées par les démangeaisons intensives – le manque de sommeil aggrave son eczéma. Les parents sont angoissés, l'enfant est triste et fatigué, et la maladie va donc en empirant.

Le bilan allergologique

Un bilan allergologique doit être rapidement envisagé quand il existe un terrain familial atopique et que l'on constate les faits suivants :

– rhinopharyngites et bronchites à répétition ;

– toux fréquente, asthme, urticaire ;

– inefficacité des traitements locaux habituellement utilisés ;

– fragilité et sécheresse de la peau : l'enfant atteint de dermatite atopique a une peau très sèche qui le démange beaucoup. Il se gratte fréquemment et provoque des lésions de la peau, qui ne peut plus jouer son rôle de barrière contre les microbes et les virus. Il s'ensuit des surinfections fréquentes.

Un bilan allergologique précoce permet d'identifier le ou les allergènes responsables et de mettre en place les mesures thérapeutiques nécessaires, notamment en vue d'empêcher l'évolution de la dermatite vers un asthme.

Dermatite atopique, asthme et rhinite

La dermatite atopique, la rhinite et l'asthme composent la triade atopique, plus communément appelée « syndrome dermo-respiratoire » : il est extrêmement fréquent qu'un enfant atteint de dermatite atopique entre l'âge de 2 mois

À savoir

90 % des allergènes mis en cause dans les cas d'eczéma sont l'œuf, le lait de vache, le poisson et l'arachide. La recherche d'une sensibilisation aux pneumallergènes (acariens, animaux, moisissures, pollens) est également conseillée lorsqu'il existe des manifestations respiratoires : elle permet de dépister et de surveiller l'évolution de la dermatite atopique vers une rhinite ou un asthme allergique.

et 6 ans soit ensuite victimes de rhinite allergique puis d'asthme.

Facteurs aggravants et manifestations

L'eczéma peut être favorisé ou aggravé par des produits irritants (shampooings, savons, couches-culottes, dentifrice), la fatigue, le stress et le manque de sommeil, une transpiration excessive... En outre, la peau des enfants souffrant de dermatite atopique est parfois colonisée par des bactéries, notamment le staphylocoque doré – les poussées aiguës d'eczéma sont quelquefois liées à une surinfection provoquée par le staphylocoque doré.
Les premières manifestations pouvant annoncer l'apparition d'une dermatite atopique sont les suivantes : sécheresse anormale de la peau de votre enfant, des démangeaisons qui perturbent son sommeil, une pâleur du visage et des cernes.

À savoir
50 % des enfants atteints de dermatite atopique en sont débarrassés vers l'âge de 2 à 3 ans. Mais, dans 30 à 50 % des cas, d'autres manifestations allergiques (rhinite, asthme) prennent le relais – si elles n'accompagnaient pas déjà l'eczéma.

La prévention

Si votre enfant souffre de dermatite atopique, prenez les mesures suivantes pour limiter les poussées d'eczéma :

1. Maintenez la chambre à une température de 18 °C, car un chauffage excessif dessèche la peau et augmente la transpiration.
2. Préférez les vêtements en coton, évitez les tenues trop serrées.

Attention !
La gale et la pédiculose (poux) peuvent faire croire à un eczéma, car elles provoquent des démangeaisons semblables.

3 Coupez les ongles courts, afin d'éviter les lésions de la peau et la propagation des germes lorsque l'enfant se gratte.
4 Évitez de surdoser la lessive et n'utilisez plus d'adoucissant.
5 Aérez la chambre régulièrement, changer les draps fréquemment, exposez la literie au soleil et protégez le matelas avec une housse anti-acariens.
6 Ne couvrez pas trop votre enfant et évitez de le baigner dans une eau trop chaude.
7 Changez ses sous-vêtements et son pyjama quotidiennement lors des fortes poussées.
8 Évitez de faire venir votre enfant dans votre lit, car la chaleur favorise les démangeaisons.
9 Préférez les séjours en bord de mer.
10 La piscine est contre-indiquée en cas de forte poussée, car le chlore peut aggraver les lésions.

La toilette de bébé

- Utilisez des savons sans parfum, ni colorant, ni additif. Préférez les savons surgras.
- Hydratez et nourrissez plusieurs fois par jour la peau du bébé à l'aide d'une crème à pH neutre.
- Ne donnez pas de bains trop chauds. Une eau à une température de 35 °C, dans laquelle vous aurez éventuellement ajouté une huile apaisante, est idéale. Lors d'une forte poussée d'eczéma ou lorsque l'eau est trop calcaire, il est parfois conseillé d'utiliser une eau minérale.
- Après un bain, séchez votre bébé par tamponnement, en évitant de frotter sa peau.

LES TRAITEMENTS

Le traitement local

Des pommades corticoïdes sont prescrites en fonction de l'étendue et de la gravité des lésions. Elles permettent de maîtriser assez rapidement les poussées d'eczéma. La posologie est en général de deux applications quotidiennes pendant dix à quinze jours. Sur le visage, on utilise des pommades moins fortement dosées en corticoïdes que celles pour le corps.

Bien que ces pommades soient bien tolérées, ce ne sont pas des crèmes de soin, et il ne faut pas en abuser. À l'inverse, il peut être dangereux de ne pas y recourir suffisamment, par crainte des corticoïdes. Il faut donc éviter l'automédication : seul le médecin traitant est habilité à prescrire la bonne pommade et sa fréquence d'utilisation.

Autres traitements

La lutte contre les surinfections

La présence sur les lésions de staphylocoques dorés est à l'origine de surinfections fréquentes risquant d'entretenir l'inflammation. La prescription de médicaments antibiotiques est parfois nécessaire.

La lutte contre les démangeaisons

Des médicaments antihistaminiques sont utilisés lorsque des démangeaisons apparaissent et entretiennent les lésions.

La lutte contre les allergènes

La lutte contre les allergènes (acariens, animaux, aliments) identifiés, lors du bilan allergologique, comme les responsables de l'eczéma, demeure une priorité (voir la partie

« Les responsables des allergies », page 19). Une désensibilisation peut être conseillée et établie par le médecin allergologue.

La lutte contre les agressions

Il faut vérifier que le contact avec les couches-culottes adhésives, certains shampooings ou crèmes ne sont pas à l'origine de l'eczéma ou ne l'aggrave pas.

La photothérapie combinée d'UVA et d'UVB

Dans certains cas, elle permet d'obtenir de bons résultats en six séances chez les enfants de plus de 7 ans.

Les médicaments immunosuppresseurs

Proposés pour traiter certaines formes sévères, leur utilisation est encore rare. La recherche concernant de nouveaux immunosuppresseurs sous forme de crème semble être prometteuse. Deux médicaments font actuellement l'objet d'étude et montrent leur intérêt dans les formes graves qui résistent aux traitements habituels.

Les cures thermales

Aucune étude n'a mis en évidence un réel effet thérapeutique des cures, mais on constate que les enfants font moins de crises dans les mois qui suivent leur séjour en station thermale. Ces cures sont proposées lorsque les traitements ne sont pas suffisamment efficaces et que les poussées sont de plus en plus violentes et fréquentes.

Il est conseillé d'effectuer trois cures de trois semaines, chacune à un an d'intervalle. La cure est l'occasion d'un suivi quotidien dans un cadre accueillant. Elle permet d'améliorer l'état des lésions, de diminuer le recours aux pommades corticoïdes et d'apporter un soutien psychologique important. Elles sont remboursées par la sécurité sociale s'il y a eu accord préalable.

Conséquences psychologiques de l'eczéma

L'eczéma, ou dermatite atopique, est une maladie chronique qui peut avoir de nombreuses répercussions sur le comportement de l'enfant atteint et de son entourage. Les parents se sentent souvent impuissants face à leur enfant en proie à de violentes démangeaisons qu'ils n'arrivent pas toujours à soulager. La mère, en particulier, se sent parfois si coupable qu'elle présente un état dépressif plus ou moins marqué.

L'enfant (et ses parents) a du mal à supporter les regards de dégoût que les gens portent sur ses lésions d'eczéma. À l'école, la peur d'être contaminé peut entraîner un rejet de la part de ses camarades, voire de la maîtresse qui rechigne à l'embrasser. Cette maladie peut donc devenir un véritable handicap dans le développement psychologique et scolaire de l'enfant. Le recours à un psychologue est alors souvent nécessaire.

L'URTICAIRE

Le mot « urticaire » vient de « ortie », car cette affection se manifeste par de petites boursouflures comparables aux plaques provoquées par les orties. La peau devient rouge ;

Maladie psychosomatique ?

La dermatite atopique n'est pas une maladie psychosomatique. Cependant, les problèmes psychologiques, le stress et l'angoisse peuvent la favoriser ou l'aggraver.

Attention !
L'urticaire s'accompagne parfois de douleurs abdominales, d'un état fébrile, d'une grande fatigue et d'une gêne respiratoire. Consultez rapidement, car ces manifestations témoignent d'une aggravation de l'urticaire et précédent la survenue d'une réaction allergique sévère.

elle est couverte de boutons de taille variable, qui disparaissent rapidement sans laisser de trace pour réapparaître à un autre endroit.
Une crise d'urticaire peut durer quelques minutes ou persister plusieurs heures. Les démangeaisons qui l'accompagnent sont souvent intolérables. La localisation est variable et peut atteindre la totalité du corps.
L'urticaire évolue pendant quelques jours dans les manifestations aiguës. Elle est dite « chronique » lorsqu'elle persiste plus de huit semaines.

Les causes

Les médicaments

Ils peuvent être à l'origine d'une urticaire aiguë plutôt que chronique. Tous les médicaments peuvent entraîner une crise d'urticaire. Les pénicillines, l'acide acétylsalicylique, les anti-inflammatoires non stéroïdiens sont fréquemment mis en cause, mais leur responsabilité est souvent difficile à établir.

Les aliments

Les protéines de lait de vache, les œufs, les arachides, la moutarde, le poisson, les fruits, les colorants, les conservateurs... sont très souvent responsables d'urticaire chez l'enfant.

Les allergènes

Le latex, les piqûres de guêpe ou d'abeille peuvent provoquer une urticaire.

Les urticaires physiques

Elles sont déclenchées par un stimulus physique.
1. Le dermographisme : des plaques d'urticaire en forme de stries apparaissent quelques minutes après un frottement.

② L'urticaire au froid : elle est provoquée par un abaissement de la température (baignade, boisson glacée). En hiver, au contact du froid et de la neige, les mains et le visage peuvent se couvrir d'urticaire ; celle-ci cède spontanément 2 à 3 heures après un retour dans une atmosphère plus tempérée.
③ L'urticaire retardée à la pression : elle survient sur une partie du corps immédiatement ou quelques heures après une forte pression (due à des chaussures, à une ceinture, au port d'un sac à dos...).
④ L'urticaire d'effort : elle apparaît après un effort plus ou moins intense (montée des escaliers, sport...).
⑤ L'urticaire à l'eau : elle est déclenchée par le contact de l'eau.
⑥ L'urticaire solaire : elle est due à l'exposition aux rayons du soleil.

Les infections et maladies

L'urticaire peut être provoquée par certaines infections virales, bactériennes, parasitaires ou mycosiques, ou encore par certaines maladies génétiques (œdème angioneurotique) ou systémiques.

L'état psychologique

Le rôle du stress et de l'émotion est important dans le déclenchement d'une crise d'urticaire.

L'ŒDÈME DE QUINCKE

L'œdème de Quincke, du nom du médecin allemand qui a décrit cette affection, se produit dans les couches profondes de la peau. Il peut atteindre toutes les parties du corps, mais il siège plus particulièrement au niveau du visage.

Il provoque des sensations douloureuses de brûlures. La peau se tend et se gonfle. Les démangeaisons sont peu importantes. Il touche fréquemment les lèvres et les paupières.
L'œdème peut atteindre la gorge, la langue et le larynx, entraînant un bruit respiratoire particulier, accompagné d'une modification de la voix et d'une sensation d'étouffement. Le larynx et la glotte peuvent également être touchés, ce qui entraîne un risque d'asphyxie.
L'œdème relève la plupart du temps du même mécanisme et de la même cause que l'urticaire auquel il est souvent associé.

LE CHOC ANAPHYLACTIQUE

Le choc anaphylactique est la plus sévère et la plus intense des réactions allergiques. Il se manifeste par un malaise, une pâleur inquiétante, une chute de la tension artérielle et une perte de connaissance. C'est une urgence vitale (chaque minute compte) qui nécessite un appel immédiat au SAMU (accessible par le 15 depuis un téléphone fixe et par le 112 depuis un mobile).

Signes avant-coureurs

- Fourmillement, brûlures, démangeaisons.
- Urticaire au niveau du cou et du visage, s'étendant progressivement à tout le corps.
- Apparition d'un œdème de Quincke.
- Gêne respiratoire : toux, essoufflement, asthme, nausées, douleurs abdominales, sueurs, fatigue intense.

Les allergènes les plus fréquemment mis en cause sont les médicaments, certains aliments, le latex et les piqûres d'hyménoptères. Les manifestations peuvent apparaître quelques secondes ou quelques heures après le contact avec l'allergène.

Attention !
Les enfants ayant déjà présenté des manifestations allergiques sévères doivent avoir en permanence sur eux une trousse d'urgence contenant des médicaments antihistaminiques, des corticoïdes, un broncho-dilatateur d'action rapide et une seringue d'adrénaline auto-injectable.

Conseils

Après un choc anaphylactique, il convient
- d'effectuer un bilan allergologique, afin de rechercher l'allergène en cause ;
- de reconstituer le plus précisément possible les faits qui ont précédé le début du choc, en essayant de remonter à plusieurs heures (aliments consommés, médicaments pris, piqûre d'insecte, contact avec un matériau...) ;
- d'avoir toujours une trousse d'urgence avec soi.

Prévention et vie pratique

La future maman et le bébé

La prévention des maladies allergiques commence dès la grossesse. Les risques de voir ensuite apparaître des manifestations allergiques chez l'enfant diminuent considérablement si des mesures préventives sont mises en œuvre précocement.

Attention !
Si un enfant a 30 % de risques de devenir allergique, il ne faut pas oublier que cela signifie qu'il a aussi 70 % de chances de ne pas l'être.
À l'inverse, il ne faut pas négliger le fait qu'un enfant qui naît dans une famille où personne n'est allergique a tout de même 15 à 20 % de risques de le devenir.

LES FAMILLES À RISQUE

La majorité des enfants allergiques ont hérité d'une prédisposition familiale. Il est donc important de repérer les membres de la famille souffrants d'allergies. En effet, la prédisposition génétique à fabriquer des anticorps contre les acariens, les pollens, les animaux, par exemple, sont transmissibles ; c'est un facteur de risque familial.
L'influence des facteurs de risque familiaux dépend du degré de parenté. Par ailleurs, la probabilité n'est pas la même selon qu'un seul ou les deux parents sont allergiques.

Attention !
Il arrive fréquemment qu'un (ou plusieurs) membre de la famille soit allergique et ne le sache pas : en interrogeant précisément les parents, le médecin découvre très souvent qu'un oncle, une tante, une grand-mère, voire l'un des parents présente des épisodes de rhinite chronique, de toux, de bronchite, d'eczéma ou de conjonctivite, qui ont peut-être une origine allergique.

■ Si l'un des deux parents est allergique, l'enfant présente 30 % de risque de le devenir s'il s'agit du père, et 40 % s'il s'agit de la mère.
■ Si les deux parents sont allergiques, la probabilité s'élève à plus de 70 %.
Repérer les familles à risque constitue donc le premier pas de la prévention : il est indispensable de rechercher la présence de manifestations allergiques chez les parents; les oncles et tantes, les grands-parents, les frères et sœurs. Même s'il n'existe pas, aujourd'hui, de traitement préventif pour la future maman ou le nourrisson, connaître clairement les risques permet d'agir précocement, de prendre les précautions nécessaires et de mettre toutes les chances du côté de l'enfant allergique.

PENDANT LA GROSSESSE

Dès le cinquième mois de grossesse, le fœtus peut se sensibiliser. Un enfant sensibilisé in utero à l'arachide (par exemple) que sa maman a consommée développera probablement une réaction allergique lors de contacts ultérieurs avec des cacahouètes. Il faut donc éviter qu'un enfant prédisposé ne soit en contact avec des allergènes. À la naissance, il est possible d'effectuer un test biolo-

Conseils pendant la grossesse :

- arrêtez de fumer et encouragez le papa à faire de même;
- évitez les travaux de bricolage et de peinture;
- évitez les insecticides;
- évitez de consommer des arachides.

gique sur du sang prélevé sur le cordon ombilical, afin de vérifier le risque atopique du bébé si l'un des membres de sa famille est victime d'allergies. Il est conseillé de recommencer ce test quelques semaines plus tard, afin de confirmer le diagnostic.

Le régime alimentaire de la future maman

En suivant un régime adapté à partir de son cinquième mois de grossesse, la future maman limite les risques de voir apparaître des manifestations d'allergie alimentaire chez son bébé.

Le lait de vache, les œufs, le poisson et l'arachide étant les aliments les plus fréquemment mis en cause dans les allergies des bébés, il convient de limiter leur consommation pendant la grossesse. Ainsi, selon certaines études, il faut manger un œuf tous les quinze jours et du poisson tous les dix jours. L'avis du médecin est indispensable, afin d'éviter certaines carences (notamment en calcium) : la nécessité d'un régime particulier doit être appréciée au cas par cas.

Il semble que les femmes qui parviennent à suivre ces mesures d'éviction alimentaire réussissent à diminuer de 30 % le risque de voir apparaître des manifestations allergiques chez leur enfant.

Attention !
Il n'y a pas lieu de suivre un régime alimentaire d'éviction s'il n'existe pas de terrain atopique familial.

Préparer la chambre du bébé

Aménager idéalement la chambre du bébé et traquer les acariens sont des mesures essentielles de prévention.

Selon une étude américaine, les mesures anti-acariens prises dès les premiers mois de la naissance permettent de diminuer considérablement les risques de développer des manifestations allergiques. Une autre étude a révélé que 80 % des enfants très exposés à une grande quantité d'acariens dès leur naissance devenaient asthmatiques

Conseil
Demandez à vos proches de ne pas offrir trop de peluches à la naissance du bébé.

à l'âge de 11 ans, alors que seulement 1 % des enfants peu exposés développaient un asthme provoqué par une allergie aux acariens.

À savoir
La survenue de manifestations allergiques chez un bébé né dans une famille atopique dépend de l'âge de l'enfant lors de son premier contact avec l'allergène et des modalités de la diversification alimentaire.

Diminuer l'exposition au tabagisme

La future maman doit absolument éviter de fumer, car l'exposition au tabac (tabagisme passif in utero) risque d'entraîner une hypotrophie du bébé, des troubles du développement psychique et intellectuel, et des affections respiratoires pendant les premières années de vie. En effet, la nicotine et ses dérivés passent dans le liquide amniotique de la maman : le taux de nicotine est multiplié par huit si la maman fume, et par 2,5 si c'est son entourage qui fume (tabagisme passif).

L'ALLAITEMENT

Nourrir son bébé au sein demeure la meilleure manière de le mettre à l'abri d'une allergie aux protéines de lait de vache. Le lait maternel est l'aliment idéal pour un bébé atopique, car il ne contient aucune des substances allergisantes présentes dans le lait de vache. D'autre part, il

Attention !
Un seul biberon de lait maternisé (donc à base de lait de vache) donné à la maternité peut sensibiliser un bébé atopique, même si les quantités ingérées sont faibles.

Conséquences du tabagisme sur les voies respiratoires

Le tabagisme favorise les rhinopharyngites, les angines, les otites et les bronchites à répétition, ainsi que l'apparition et l'aggravation de l'asthme (fumer provoque une tendance anormale des bronches à se rétrécir et une augmentation du passage des allergènes à travers les parois des bronches et du nez).

apporte des anticorps qui permettent au bébé de lutter contre les infections, qui jouent un rôle dans le déclenchement et l'aggravation des maladies allergiques.

Il est recommandé aux mamans qui le souhaitent et le peuvent de nourrir leur bébé au sein jusqu'à l'âge de 5 ou 6 mois. Si l'allaitement ne dure que trois mois, un lait hypoallergénique sera prescrit à l'enfant jusqu'à l'âge de 1 an. Mais que faire quand la maman ne peut pas allaiter le bébé ?

Lorsque l'allaitement au sein n'est pas possible, il est conseillé de proscrire tout biberon contenant des protéines de lait de vache jusqu'au cinquième ou sixième mois et d'utiliser des hydrolysats : il s'agit de laits industriels qui ont subi des traitements, afin de supprimer leurs propriétés allergisantes. Ces laits hypoallergéniques apportent une grande sécurité au bébé né dans une famille atopique s'ils sont utilisés exclusivement (sans jus de fruits, ni lait de vache, ni autres aliments) pendant quatre à six mois.

À savoir
Certains hydrolysats de protéines sont désormais remboursés par la sécurité sociale pour les malades atteints d'allergies aux protéines du lait de vache. Parlez-en à votre médecin.

LA DIVERSIFICATION ALIMENTAIRE

La diversification ne doit pas se faire avant l'âge de 6 mois chez les enfants à risque. De nombreuses études ont démontré que l'introduction d'aliments autres que le lait avant cet âge augmente le risque de survenue d'allergies alimentaires.

À savoir

Les hydrolysats sont parfois prescrits à la maman pendant sa grossesse ou durant l'allaitement, afin d'éviter l'absorption de protéines de lait de vache qui pourraient sensibiliser le bébé.

À savoir
Un enfant recevant plus de trois aliments autres que le lait avant l'âge de 4 mois multiplie par trois le risque de développer des manifestations allergiques.

Le lait était, jusqu'au début du xxe siècle, l'aliment exclusif des enfants jusqu'à l'âge de 2 ans. Mais depuis de nombreuses années, une diversification alimentaire trop précoce et sans justification diététique a augmenté les risques allergiques.

L'introduction des aliments solides doit se faire progressivement à partir de 6 mois et le plus tardivement possible pour les aliments les plus allergisants : lait de vache, œuf, arachide, poisson, moutarde, oléagineux (pois, lentilles, soja). On se reportera utilement aux conseils donnés ci-dessous.

1. Évitez le lait de vache (et les produits laitiers) jusqu'à l'âge de 1 an et donnez des laits hypoallergéniques.
2. Ne proposez pas de l'œuf et ou du poisson avant l'âge de 1 an, voire 18 mois.
3. Ne donnez pas de viande avant 9 mois.
4. Donnez des légumes cuits et des fruits en compote à partir de 6 mois, mais attendez l'âge de 1 an pour les petits pois, le céleri, la tomate et la banane.
5. Ne donnez pas de jus de fruit avant l'âge de 6 mois.
6. Vous pouvez donner des farines sans gluten dès 4 mois et avec gluten à partir de 6 mois, mais évitez les farines aromatisées (vanille, miel...).
7. Introduisez un seul aliment nouveau à la fois et attendez huit jours avant d'en ajouter un autre.
8. Préférez les aliments faits « maison » et évitez les petits pots du commerce, dont la composition n'est pas toujours parfaitement connue.
9. Évitez les petits pots contenant des fruits mélangés ou exotiques (kiwi, mangue, papaye...).
10. Ne donnez pas de produits contenant des colorants et des conservateurs, et préférez toujours les aliments frais.
11. Donnez les fruits et les légumes cuits plutôt que crus.

⑫ Utilisez des pots ou des plats ne contenant qu'un seul aliment.

⑬ Vérifiez sur les étiquettes que les produits que vous achetez dans le commerce ne contiennent pas d'aliment allergisant (protéines de lait de vache, œuf, arachide, moutarde, poisson).

⑭ N'utilisez pas d'huile d'arachide ou d'huile dite « végétale » sans autre précision. Ne donnez pas de produits du commerce qui en contiennent.

⑮ Ne donnez du chocolat qu'à partir de 10 mois et pas de légumes secs avant 18 mois (voire 2 ans).

⑯ Les cacahouètes, amandes et autres arachides sont interdites jusqu'à l'âge de 3 ans (non seulement à cause des problèmes d'allergie, mais aussi des risques d'étouffement). Méfiez-vous des noisettes cachées dans les biscuits.

⑰ Ne donnez pas de moutarde, de ketchup et autres sauces épicées avant l'âge de 3 ans.

Conseil
Prenez l'avis de votre médecin, afin d'équilibrer les menus et d'éviter les carences alimentaires.

À l'école

Un enfant allergique doit pouvoir vivre normalement, faire du sport et suivre sa scolarité comme tous les autres enfants. L'une des missions de l'école est d'ailleurs de favoriser l'intégration des élèves atteints de maladie chronique, conformément à la loi d'intégration du 10 juillet 1989.

Malheureusement, trop d'enfants allergiques rencontrent encore aujourd'hui des difficultés dans le cadre scolaire. Les raisons en sont nombreuses et liées en grande partie à la maladie allergique elle-même, dont les symptômes font peur aux enseignants, souvent désarmés face à une crise d'asthme ou à un œdème de Quincke. Des efforts ont été faits pour mieux intégrer ces enfants, mais les progrès restent bien insuffisants au regard de l'explosion des maladies allergiques.

Comment réagir face à une crise d'asthme ou à une manifestation allergique violente? L'enfant allergique peut-il faire du sport? Comment lui donner ses médicaments? Un enfant allergique à l'arachide peut-il manger à la cantine? Quand appeler les secours? Les questions sont nombreuses, mais les réponses ne peuvent pas toujours être précises et claires, car les symptômes allergiques sont divers, et il n'est souvent pas facile d'évaluer leur gravité. En outre, on ne peut pas demander aux enseignants de se substituer au médecin qui, parfois, même après vingt ans de pratique, éprouve encore quelques difficultés à réagir correctement. Toutefois, on peut déplorer que les instituteurs ne bénéficient pas d'un minimum de formation, dont ils pourraient faire profiter leurs élèves.

À savoir

Il y a en moyenne deux à quatre enfants allergiques dans chaque classe, et cette proportion augmentera probablement au cours des prochaines années. Dans dix ans, ce seront peut-être 50 % des enfants scolarisés qui seront concernés.

Conseil
En expliquant à tous les élèves les problèmes que présentent certains de leurs petits camarades, on facilite l'intégration des enfants allergiques.

LE PROJET D'ACCUEIL INDIVIDUALISÉ (PAI)

Afin de faciliter l'intégration à l'école de l'enfant atteint de troubles de la santé, le projet d'accueil individualisé, ou PAI, associe les parents, le médecin traitant, le chef d'établissement et les enseignants, le médecin scolaire et l'infirmière, ainsi que les partenaires extérieurs, comme les collectivités locales. Il est établi à la demande de la famille, mais il peut être proposé par l'équipe scolaire.

Le PAI précise les traitements prescrits par le médecin, le régime alimentaire éventuel, les aménagements spécifiques nécessaires (dans la classe, lors des sorties scolaires, pendant le sport...), et explique comment réagir lorsque l'enfant présente des manifestations allergiques.

La circulaire du 19 novembre 1999 précise les modalités d'application du PAI pour les enfants allergiques. Elle précise l'obligation d'accueillir ces enfants au même titre que les autres (il arrivait trop fréquemment que des établissements les refusent en raison d'une mauvaise information, de l'ignorance des textes ou, de façon très exceptionnelle, par mauvaise foi).

Cette circulaire prend en compte l'accueil des enfants atteints d'allergie alimentaire, en précisant cinq points importants :

1. L'enfant peut apporter à la cantine son panier-repas préparé par la famille (une circulaire de juin 2001 précise même que le repas de l'enfant peut être conservé et réchauffé dans les équipements collectifs).
2. L'enfant peut prendre ses médicaments par voie orale, par inhalation ou par injection.
3. En cas d'urgence, les adultes de la communauté scolaire doivent tout mettre en œuvre pour que le traitement injectable puisse être administré avant l'arrivée des secours.

❹ Le personnel de l'établissement bénéficie du régime de substitution de la responsabilité de l'État à celle des membres de l'enseignement public.

❺ La circulaire précise la répartition des tâches et des responsabilités entre le médecin de l'Éducation nationale, le directeur d'établissement et le médecin traitant.

La plupart des conflits qui se font jour à propos des enfants allergiques s'observent à la maternelle. Rappelons que, avant l'âge de 3 ans, la scolarisation est tout à fait facultative. Un directeur d'établissement peut donc refuser d'accueillir un enfant de 2 ans et demi s'il manque de place ou d'enseignants ; en revanche, il ne peut refuser un enfant allergique de deux ans et demi s'il accepte les autres. Entre 3 et 6 ans, l'école n'est pas obligatoire ; toutefois, dans la pratique, elle est fréquentée par la grande majorité des enfants de cette classe d'âge. Elle ne peut pas refuser d'accueillir un enfant allergique en raison de sa maladie. Enfin, à partir de 6 ans, la scolarisation est obligatoire pour tous, et l'enfant allergique ne peut être refusé sous quelque prétexte que ce soit.

Si vous rencontrez un problème pour inscrire votre enfant à l'école, adressez-vous à votre médecin traitant et aux associations (aussi bien de défense des enfants allergiques – voir la liste à la fin de cet ouvrage – que de parents d'élèves). Quelques explications suffisent souvent à venir à bout des réticences du chef d'établissement, qui exige toutefois fréquemment une décharge de responsabilité, afin de se prémunir en cas de problème.

À savoir
Certaines écoles demandent un certificat de non-allergie avant d'inscrire un enfant ; c'est parfaitement illégal, car les informations médicales sont exclusivement réservées aux médecins, qui sont tenus par le secret professionnel. D'autre part, aucun médecin ne peut affirmer avec certitude que tel enfant n'aura aucune manifestation allergique.

Prise en charge médicale de l'urgence

Le PAI comporte un volet destiné à établir précisément la conduite à tenir en cas de réaction sévère. Les numéros de téléphone du médecin traitant, du service hospitalier

le plus proche et du SAMU (15 depuis un téléphone fixe, 112 depuis un portable) y sont précisés.
Une ordonnance du médecin détaille la conduite à tenir et les médicaments à donner à l'enfant en cas de démangeaisons, d'urticaire, de gêne respiratoire, d'œdème de Quincke ou de choc anaphylactique.
Une trousse d'urgence est déposée à l'école et doit être accessible facilement, en toutes circonstances. Elle comprend des médicaments antihistaminiques et des corticoïdes sous forme de gouttes ou de comprimés, ou encore injectables, des broncho-dilatateurs d'action rapide et une seringue d'adrénaline auto-injectable.

Le panier-repas
Il doit contenir tous les aliments dans des boîtes fermant hermétiquement, les couverts et ustensiles, de façon que l'enfant n'ait pas besoin de recourir à quoi que ce soit qui ne lui serait pas strictement réservé. Il est conseillé d'utiliser des boîtes en plastique pouvant être réchauffées au four à micro-ondes. Le repas doit être stocké dans un sac isotherme ou une glacière hermétique le maintenant à une température comprise entre 0 et 10° C. Ce contenant doit être clairement identifié au nom de l'enfant.

L'ALLERGIE ALIMENTAIRE À L'ÉCOLE

L'enfant allergique ne doit pas risquer de consommer à la cantine le ou les aliments auxquels il est sensibilisé. La restauration scolaire peut parfois s'adapter au régime de l'enfant, lorsque celui-ci est facile à appliquer. Mais, dans la majorité des cas, il est préférable que les parents préparent un panier-repas dont ils sont parfaitement sûrs.
Lorsque l'enfant arrive à l'école, son panier-repas doit être placé dans un endroit spécifique, hors de portée des autres enfants. Il ne doit pas être ouvert par quelqu'un d'autre que la personne désignée pour faire manger l'enfant et le surveiller. Le mieux est qu'il reste dans un réfri-

Conseil
Prenez contact avec le directeur d'établissement et l'enseignant, afin de les informer plus précisément sur la maladie de votre enfant.

gérateur jusqu'au moment d'être réchauffé ou consommé. S'il faut réchauffer une préparation au four à micro-ondes, c'est la personne en charge de l'enfant qui doit s'en occuper. L'endroit où l'enfant consomme son repas doit préalablement être soigneusement nettoyé.

L'intérieur du four à micro-ondes doit être soigneusement nettoyé, car il sert à réchauffer d'autres repas, et il peut contenir des allergènes auxquels l'enfant est sensible. Dans la pratique, cela peut se révéler difficile et insuffisamment fiable. Mieux vaut faire réchauffer la préparation dans sa boîte de transport (qui doit donc être adaptée au micro-ondes) et recouvrir celle-ci d'une cloche protectrice à usage exclusif de l'enfant.

Après le repas, couverts, ustensiles et boîtes doivent être lavés et replacés dans le sac de transport. Ils seront soigneusement relavés lorsque l'enfant sera de retour à la maison, à la fin de la journée.

Conseil
En été, si votre enfant fréquente un centre de loisirs, évitez de mettre son panier-repas trop longtemps à l'avance dans la voiture.

À savoir

- Lorsqu'un enfant apporte son panier-repas à la cantine, sa participation financière est soumise à l'appréciation du chef d'établissement ou du maire. Il est d'usage que les parents paient environ la moitié du prix moyen d'un repas, au titre du service que reçoit l'enfant (réfrigération puis réchauffage du repas, temps passé par la personne qui s'en occupe...). Mais il arrive souvent que l'on exige des parents qu'ils paient la totalité du repas que leur enfant n'a pas consommé, juste pour qu'il ait le droit de rester à la cantine !
- Les cantines des écoles maternelles et primaires dépendent des mairies et non des établissements scolaires. Or les municipalités ne sont pas concernées par la circulaire du 19 septembre 1999 et peuvent refuser d'accepter un enfant allergique à la cantine. Seul un dialogue entre les différents intervenants peut alors débloquer la situation.

Attention !
Le déjeuner n'est pas le seul moment qui présente un danger pour votre enfant s'il est allergique. Pensez aussi aux collations du matin, aux goûters, aux anniversaires, aux ateliers cuisine... Mettez votre enfant en garde, prenez l'avis de votre médecin et rencontrez les enseignants ; des aménagements sont parfois nécessaires (vous devrez, par exemple, fournir la collation du matin pour votre enfant).

Des municipalités ont pris la décision de distribuer des repas convenant aux enfants allergiques. Ainsi, certaines sociétés de restauration collective préparent des menus adaptés à certains types d'allergie alimentaire (arachide, œuf, poisson, moutarde). Toutefois, elles ne peuvent pas garantir complètement l'absence d'allergène dans leur produit. Les contaminations croisées restent possibles lorsque deux plats sont préparés à la suite.

L'ENFANT ASTHMATIQUE À L'ÉCOLE

Un enfant asthmatique suivi régulièrement et respectant les conseils de son médecin mène une scolarité normale, ne s'absentant que très exceptionnellement. Il sait reconnaître les premiers signes d'une crise et utiliser ses médicaments. Il arrive néanmoins qu'à l'occasion d'une infection, par exemple, ou lors de la pratique d'un sport d'endurance, les jours froids et secs, l'enfant subisse une crise.

CONSEILS AUX ENSEIGNANTS

Les enseignants bien informés sur la maladie asthmatique et ses traitements savent réagir devant un enfant qui fait une crise ou qui tousse fréquemment en classe. Malheureusement, rares sont ceux qui sont suffisamment avertis, et l'on voit plus souvent des instituteurs et des professeurs irrités par un enfant « tousseur » qui perturbe leur cours.

Si vous êtes enseignant et que vous ayez dans votre classe un ou plusieurs enfants signalés comme asthmatiques :

- Demandez conseil au personnel médical de l'établissement. Le médecin ou l'infirmière vous expliquera l'origine et les mécanismes de l'asthme, ses différentes manifestations et ses traitements. Vous pouvez également contacter l'association ASTHME et ALLERGIES.

■ Autorisez l'enfant à prendre ses médicaments.

■ Assurez-vous que les médicaments sont à portée de l'enfant, et non enfermés dans le bureau de l'infirmière qui n'est présente dans l'établissement qu'un ou deux jours par semaine.

■ Enlevez les animaux de la classe si le médecin de l'enfant l'a recommandé dans le PAI.

■ Ne placez pas l'enfant près du radiateur, qui a tendance à faire voler les poussières.

■ Évitez les fumées ou émanations en laboratoire de chimie.

■ Expliquez aux autres élèves pourquoi un enfant asthmatique tousse souvent.

■ Laissez l'enfant rester dans la classe pendant la récréation s'il présente une crise d'asthme.

■ Évitez les facteurs pouvant déclencher une crise : tabac, air froid et sec, animaux d'élevage dans la classe...

■ Assurez-vous que vous pourrez téléphoner rapidement en cas d'urgence.

En cas de crise

– Restez calme, rassurez l'enfant, installez-le à l'abri des regards de ses camarades. Une crise d'asthme est toujours angoissante et risque de s'aggraver s'il y a trop d'agitation autour de l'enfant. Parlez-lui et écoutez-le bien, car l'enfant a certainement déjà vécu cette situation.

– Le cas échéant, déboutonnez le col de sa chemise, desserrez sa ceinture, ôtez le foulard ou l'écharpe, et installez-le tranquillement sur une chaise.

– Aidez-le à contrôler son souffle en respirant doucement (inspiration par le nez et expiration par la bouche).

– Donnez-lui immédiatement ses médicaments en suivant les recommandations du PAI. Assurez-vous qu'ils sont inhalés correctement.
– Si aucune amélioration n'intervient au bout de 15 minutes ou si les manifestations s'aggravent (augmentation de la gêne respiratoire, lèvres bleutées, panique, épuisement, malaise), appelez les secours (faites le 15 depuis un téléphone fixe, le 112 depuis un mobile).
L'enfant récupère en général rapidement après une crise et peut reprendre son activité.

L'enfant asthmatique et le sport

L'activité physique est recommandée à l'enfant asthmatique. Mais lorsque l'asthme est sévère, l'enfant ne peut pas toujours pratiquer le sport normalement. Parents et enseignants doivent accepter le fait que l'enfant ne fait pas preuve de mauvaise volonté, mais se trouve véritablement gêné pour pratiquer les exercices demandés.
Il arrive néanmoins que certains enfants prennent l'habitude de ne pas faire de sport et se servent de leur maladie comme prétexte pour se faire dispenser. Si vous avez un doute sur la réalité de la gêne de l'enfant, mieux vaut vous informer, rencontrer les parents ou contacter le médecin. L'enfant ne doit pas être exclu des activités sportives, car il pourrait se sentir isolé et en souffrir psychologiquement. Au contraire, il doit être mis en confiance et encouragé. Il ne faut toutefois pas le forcer s'il est essoufflé avant de commencer le sport et l'autoriser à interrompre l'activité (notamment les épreuves d'endurance) s'il se sent en difficulté.
Vous devez connaître les facteurs aggravant l'asthme au cours de l'effort : ainsi, la respiration est plus difficile quand le temps est froid et sec, et un effort prolongé est plus gênant qu'un effort bref, même violent.

Permettez à l'enfant de prendre son médicament avant un effort ; à défaut, il pourrait présenter une quinte de toux ou une crise d'asthme quelques minutes après l'arrêt de l'exercice. Un échauffement de 10 à 15 minutes est souvent conseillé.
Aménagez le programme sportif si l'enfant est gêné, mais sachez que la plongée sous-marine avec bouteille est le seul sport absolument contre-indiqué.

L'aménagement de la classe

Pour ne pas gêner un enfant allergique, la salle de classe doit être aérée, non poussiéreuse, sans humidité ni moisissure, et bien sûr sans tabac ! Elle ne doit pas être trop chauffée. Ouvrez les fenêtres plusieurs fois par jour, au moment des récréations.

- Ne placez pas un enfant allergique à côté d'un camarade qui possède un chat chez lui. Ne gardez pas d'animaux en classe ; lapin, hamster et cochon d'Inde sont d'ailleurs désormais interdits.
- Au printemps, laissez les fenêtres fermées en cas de pic pollinique, afin d'éviter la pénétration des pollens dans la salle.
- Si vous avez la charge d'une classe de maternelle, aménagez le coin de lecture à un endroit où le sol est facilement lavable et faites souvent laver les coussins. Dans la mesure du possible, évitez de coucher les enfants sur des matelas posés sur le sol, puis empilés en dehors de l'heure de la sieste.
- Ne multipliez pas les activités requérant du matériel qui peut être irritant : colle, peinture, feutres, solvant et autres composés organiques volatiles.
- Veillez à ce que le ménage soit fait dans la salle de classe bien avant l'arrivée des enfants, pour éviter qu'il y ait des particules de produit de nettoyage en suspension, et

demandez que l'on entretienne très régulièrement les gaines d'aération.

Les voyages scolaires

Un enfant allergique doit consulter son médecin avant un départ en classe verte, de mer ou de neige. Ces voyages provoquent toujours beaucoup d'angoisse chez les parents, l'enfant et l'enseignant, mais il faut à tout prix éviter d'en priver l'enfant, afin de ne pas le marginaliser par rapport au reste de la classe. En outre, ce genre d'expérience ne peut que l'aider à prendre confiance en lui et à mieux vivre avec sa maladie.
L'enfant doit emporter avec lui un double du projet d'accueil individualisé (PAI), ainsi que les médicaments prescrits. En cas d'allergie aux acariens, il est préférable qu'il se munisse d'une housse anti-acariens pour sa literie et d'un oreiller synthétique. Quelle que soit son allergie, il devra éviter autant que possible la pratique du cheval ou du poney.

DIFFICULTÉS DE LA MISE EN PRATIQUE

Jusqu'à présent, nous avons décrit une situation « idéale », telle qu'elle devrait être si le personnel de service et d'encadrement était suffisant, si les locaux des écoles n'étaient pas vétustes, si les enseignants avaient le temps de s'occuper de chaque enfant et de prendre en compte les cas particuliers, si les écoles ne manquaient ni de place ni de moyens, si tous les partenaires de l'éducation étaient à la fois conscients des problèmes et décidés à les résoudre de façon responsable... Mais la réalité est tout autre, et le texte de loi précisant les modalités de l'accueil des enfants allergiques à l'école est souvent difficile à respecter.

Mal informés et soucieux de se décharger de toute responsabilité en cas de problème, les enseignants et chefs d'établissement demandent de plus en plus de certificats médicaux. D'autant que la médecine scolaire souffre de carences importantes.

Si les lycées, qui sont de grosses structures, bénéficient généralement des services de une ou plusieurs infirmières à plein temps, il n'en va pas de même des collèges, des écoles primaires et maternelles. Très souvent, une même infirmière doit s'occuper de plusieurs établissements et n'est présente dans chacun d'eux que quelques demi-journées par semaine. Dans certaines écoles, les enfants ont le droit de conserver leur traitement sur eux ; dans d'autres, ils doivent le laisser à l'infirmerie... Et c'est justement quand l'infirmière n'est pas là et que son bureau est fermé à clé qu'un enfant fait une crise d'asthme ! Grâce à la pression des parents et des associations, les médicaments se trouvent désormais de plus en plus souvent dans le bureau du directeur de l'établissement ou dans la salle de classe.

Les allergies alimentaires posent des problèmes spécifiques. Si le personnel de l'école peut s'attacher à respecter les consignes des parents en ce qui concerne le déjeuner ou le goûter, comment empêcher l'enfant d'accepter des gâteaux ou des bonbons dans la cour de récréation ?

Les enseignants ne reçoivent pas de formation de secourisme. Aussi, en cas de choc anaphylactique, rares sont ceux qui se portent volontaires pour effectuer une injection d'adrénaline. Comment pourrait-il en être différemment s'ils n'ont jamais appris à faire une piqûre ?

Dialogue
N'hésitez pas à rencontrer plusieurs fois dans l'année les enseignants ou le personnel de la cantine, afin de discuter de l'intégration de l'enfant et des problèmes rencontrés à l'école.

Perspectives

De nombreux progrès ont été effectués ces dernières années, mais il reste beaucoup à faire, et les associations reçoivent toujours énormément de plaintes de parents

Orientation professionnelle de l'enfant allergique
L'enfant allergique doit être conseillé lors de son orientation professionnelle. Un avis spécialisé s'impose lorsque les facteurs allergiques sont clairement identifiés. Certaines professions sont à éviter, car elles impliquent un contact avec des allergènes. Citons, entre autres : coiffeur, boulanger-pâtissier, menuisier, peintre, ouvrier en bâtiment, horticulteur, vétérinaire... Il est indispensable d'informer les enfants allergiques sur les risques qu'ils peuvent rencontrer dans leur futur métier, afin d'éviter un changement de profession, toujours vécu comme un échec douloureux.

soumis à un véritable parcours du combattant. Certaines familles préfèrent parfois ne pas déclarer l'allergie alimentaire de leur enfant, par crainte de se voir refuser l'accès à la cantine; ce faisant, elles prennent d'énormes risques. Il est certain qu'administrer des médicaments ou effectuer des injections ne fait pas partie du travail d'un enseignant, et l'on ne peut que déplorer le manque d'infirmières scolaires. Cependant, les enseignants et le personnel de restauration scolaire devraient bénéficier d'une formation obligatoire annuelle ou bisannuelle d'une demi-journée – au minimum –, consacrée aux problèmes rencontrés par l'enfant allergique en milieu scolaire.
Aux États-Unis, l'Académie d'allergologie, très en avance en matière de prévention, recommande d'enseigner au personnel des restaurants scolaires la dénomination technique des aliments usuels, de lui apprendre à bien lire les étiquettes, à se laver les mains, à nettoyer correctement les surfaces en contact avec les aliments et à utiliser un équipement séparé pour la cuisson.
En France, un véritable réseau impliquant les parents, les médecins de l'enfant, l'infirmière et le médecin scolaire, les enseignants, le personnel de restauration, tous les membres de la communauté éducative et associative, et les collectivités locales doit pouvoir se mettre en place efficacement, afin de permettre à l'enfant allergique de vivre sa scolarité normalement.

En vacances

Un départ en vacances provoque toujours quelques changements d'habitude qui peuvent être à l'origine de manifestations allergiques. Mais quelques précautions permettent généralement d'éviter l'aggravation ou la réapparition des symptômes. Consultez votre médecin allergologue et partez avec votre enfant en toute tranquillité.

LE LIEU DE VACANCES

Il n'existe aucune contre-indication particulière ; tout dépend de l'état de l'enfant, de l'environnement, de l'hébergement, etc.

***Au bord de la mer* :** la mer pose peu de problèmes aux enfants allergiques. En outre, la natation est un sport particulièrement conseillé aux enfants asthmatiques.

***À la montagne* :** un séjour à la montagne en moyenne altitude (entre 1 000 et 1 500 mètres), est idéal pour les enfants allergiques aux acariens (ces derniers se raréfient au-dessus de 1 000 mètres) et surtout pour les asthmatiques. Une plus haute altitude peut être bien tolérée, mais une adaptation de quelques jours est généralement nécessaire. Au-delà de 2 500 mètres, l'enfant asthmatique doit être en pleine forme et ne pas présenter de crise. En effet, la concentration en oxygène peut baisser de manière significative et avoir un retentissement sur l'état respiratoire.

Attention !
Un séjour au-delà de 1 500 mètres est contre-indiqué pour un enfant présentant un asthme sévère ou mal équilibré.

En hiver, si l'enfant fait du ski, il est prudent qu'il prenne son médicament broncho-dilatateur avant de partir sur les pistes, en particulier quand le temps est froid et sec.

Attention !
Évitez les séjours à la ferme ou à proximité d'un haras, ainsi que les stages d'équitation si votre enfant est allergique aux animaux.

***À la campagne* :** un séjour à la campagne est bien toléré par la grande majorité des allergiques, à condition d'éviter les périodes de pollinisation si l'enfant est sensibilisé à ce type d'allergène. Méfiez-vous toutefois du camping si votre enfant est allergique aux piqûres d'insecte.
***À l'étranger* :** avant un départ à l'étranger, renseignez-vous sur les possibilités sanitaires du pays (adresses des centres hospitaliers les plus proches du lieu de résidence, présence d'un médecin) et sur les modalités de prise en charge des frais médicaux. Adressez-vous à votre centre de sécurité sociale ou à votre mutuelle.
Votre centre de sécurité sociale vous fournira un formulaire E 111 (à demander quelques jours à l'avance) si votre enfant doit voyager en Europe (sauf dans certains pays, comme l'Angleterre). Celui-ci vous permettra de vous faire rembourser les éventuels soins médicaux dispensés sur place. Prenez une assurance de rapatriement sanitaire. Renseignez-vous sur les vaccinations nécessaires (un enfant asthmatique peut être vacciné en dehors d'une crise).
Si votre enfant présente des allergies alimentaires, méfiez-vous des plats locaux et préférez les produits non transformés.

À savoir
Quelques efforts ont été faits pour permettre aux allergiques de passer des vacances dans des hôtels ou des centres de vacances spécialement adaptés (chambre, nettoyage, nourriture...). Ainsi, plusieurs hôtels bruxellois ont aménagé quelques chambres et formé leur personnel de restauration aux problèmes des allergies alimentaires.

L'HÉBERGEMENT

Les vacances peuvent être gâchées si les parents ne prennent pas quelques précautions élémentaires avant de louer une maison ou un appartement. En effet, le logement peut présenter de nombreux facteurs de risque pour les allergiques : chambre humide ou trop chauffée en hiver, literie en plumes, présence d'animaux...
N'hésitez pas à vous renseigner et à poser des questions précises :

- Le logement sera-t-il aéré avant votre arrivée?
- Est-il loué régulièrement et aura-t-il été occupé juste avant votre arrivée? Un logement qui reste inoccupé pendant de longues périodes risque d'être envahi d'acariens ou de moisissures.
- Les occupants précédents auront-ils amené des animaux? Pour plus de sûreté, mieux vaut louer un logement où les animaux sont interdits.
- À quelle température le logement est-il chauffé?
- Quel est l'environnement proche (présence d'un haras, d'une ferme...) ?
- De quel type est la literie? Même s'il ne s'agit pas de plumes, il est préférable que l'enfant allergique emporte son oreiller, une housse anti-acariens et une couette synthétique.

À savoir
N'oubliez pas de laver le sac de couchage qui est resté enfermé dans un placard pendant un an si votre enfant part en colonie de vacances.

LE TRAJET

Dans un train ou sur un bateau, évitez les endroits fumeurs et les places à côté des bouches d'aération.
En voiture, évitez de rouler les fenêtres ouvertes en période de forte pollution ou de pic pollinique. Évitez les voitures de location si votre enfant est allergique aux animaux et que vous ne soyez pas sûr qu'aucun chat ou chien n'y soit monté. Ne laissez pas un aérosol dans une voiture fermée en plein soleil.
En avion, votre enfant doit garder sa trousse d'urgence à portée de main. Les aérosols ne doivent pas voyager dans la soute à bagages, car la dépressurisation pourrait les vider. Méfiez-vous des repas servis à bord si votre enfant souffre d'allergie alimentaire; mieux vaut emporter de quoi le restaurer et lui demander de ne pas toucher au plateau proposé.

Consignes de sécurité
① Un départ en vacances n'est pas indiqué dans les jours qui suivent une crise d'asthme sévère.
② La plongée sous-marine avec bouteille est interdite aux enfants asthmatiques.

③ L'équitation doit avoir été autorisée par le médecin si l'état de l'enfant le permet. Si l'enfant est allergique au cheval, il doit bien sûr renoncer aux promenades en calèche et aux séjours dans un club hippique.
④ La pratique du sport dépend de la sévérité de la maladie. S'il présente un asthme sévère, l'enfant doit limiter les exercices physiques.
⑤ S'il est asthmatique, l'enfant doit emporter son débit-mètre de pointe pour surveiller son souffle.
⑥ L'enfant ne doit jamais se séparer de sa trousse d'urgence contenant des médicaments antihistaminiques, des corticoïdes, des broncho-dilatateurs et une seringue d'adrénaline auto-injectable.

À l'arrivée

Si vous avez opté pour une location, faites un grand ménage dès votre arrivée et aérez pendant 30 minutes au minimum. Donnez à l'enfant la chambre la plus ensoleillée. Placez sur son lit la housse anti-acariens, l'oreiller et la couette synthétique, et rangez dans une autre pièce ceux qui se trouvaient sur place.
Si votre enfant part sans vous chez des amis ou dans de la famille, demandez-leur de bien aérer les jours précédents son arrivée.

LES MÉDICAMENTS

Le traitement de fond ne doit en aucun cas être interrompu. L'enfant doit emporter avec lui suffisamment de médicaments pour tout le séjour, plus ceux nécessaires en cas de crise.
Si l'enfant part en centre de vacances, donnez au directeur un certificat médical mentionnant les médicaments à prendre si l'enfant est gêné. Informez-le sur la conduite à tenir en cas de crise. De même, si votre enfant part chez des proches, expliquez-leur le traitement prescrit et l'attitude à adopter en cas de crise d'asthme, de rhinite, d'urticaire ou de choc anaphylactique.

À la maison

L'habitation est un lieu à haut risque pour un enfant allergique. Bien aménager et entretenir le logement est donc une priorité pour les parents. Quelques mesures simples (diminution des allergènes, aération, choix de matériaux sans danger, entretien de la ventilation...) permettent de réduire l'exposition aux polluants domestiques.

AÉRER

Nous avons pris l'habitude de calfeutrer portes et fenêtres, afin d'économiser l'énergie. Mais ce confinement est en grande partie responsable de l'augmentation de la pollution domestique. Pour limiter les risques, prenez les mesures suivantes :

- Aérez au minimum une fois par jour, pour renouveler l'air et évacuer les émanations toxiques.
- Ouvrez la fenêtre de la chambre le matin au réveil et le soir avant le coucher de l'enfant, plus particulièrement pendant l'hiver. Si c'est possible, gardez la fenêtre de la chambre entrouverte pendant la journée (sauf en cas de pic pollinique ou de forte pollution atmosphérique si votre enfant y est sensibilisé).
- Aérez la cuisine quand vous préparez les repas. C'est pendant la cuisson des aliments que l'on observe les concentrations les plus élevées d'oxyde d'azote. Installez une hotte aspirante et faites-la fonctionner dès que vous faites cuire quelque chose. Lavez ou changez son filtre régulièrement.
- Aérez les vêtements récupérés au pressing avant de

les ranger, car on utilise pour le nettoyage à sec des solvants qui peuvent ensuite se déposer sur les rideaux et moquettes, et provoquer des réactions chez un enfant prédisposé.

■ Évitez de fermer les portes de communication entre les pièces.

■ Aérez longuement si quelqu'un a fumé à l'intérieur.

Attention !
Trois cigarettes fumées chaque jour dans son entourage suffisent à exposer l'enfant aux conséquences du tabagisme passif. La fumée contient des centaines de composants chimiques irritants qui constituent des facteurs aggravants des manifestations allergiques.

La fumée du tabac

Ne fumez pas dans la maison et demandez à vos visiteurs de s'abstenir également. Fumer dans une autre pièce ne met pas l'enfant complètement à l'abri des émanations tabagiques, et même une bonne aération ne permet de réduire que partiellement la toxicité de la fumée.

La ventilation mécanique contrôlée

La VMC permet de réduire la pollution domestique en rejetant l'air vicié vers l'extérieur. Dans une salle de bain, elle réduit la vapeur d'eau qui favorise le développement des acariens et des moisissures.
Ce système de ventilation doit être régulièrement contrôlé et entretenu par des professionnels. Vérifiez que les entrées et sorties d'air ne sont pas obstruées, et nettoyez-les fréquemment.

LIMITER LES POLLUANTS DOMESTIQUES

Les produits d'entretien, les peintures, les colles, les vernis, la combustion du gaz, du fuel ou du charbon, les cheminées dispersent dans l'air des composés organiques volatiles qui s'évaporent sous forme de gaz, provoquant des irritations du nez, des bronches ou des yeux, ou aggravant des manifestations allergiques.

Pour limiter la quantité de polluants à l'intérieur de votre logement, préférez les matériaux naturels aux matériaux synthétiques, qui contiennent des solvants. De même, évitez les panneaux agglomérés ou contre-plaqués, car les bois traités libèrent des substances toxiques.
Dans toute la mesure du possible, évitez les produits de bricolage et d'entretien qui présentent une toxicité pour les bronches d'un enfant asthmatique : sur l'étiquette, une croix signale la présence d'une substance irritante. Parfois, il est clairement précisé que le produit peut irriter les yeux, le nez, les bronches ou/et la peau. Les vernis et les colles dégagent également des substances toxiques. Quant aux insecticides, ce sont de véritables dangers.
Toutes les peintures dégagent des substances irritantes pour les bronches, le nez et les yeux, au moment de leur application et dans les heures qui suivent. Il est indispensable d'aérer longtemps une pièce qui vient d'être repeinte. N'y faites pas dormir un enfant allergique avant plusieurs jours. De toutes façons, il est préférable d'effectuer ce genre de travaux quand l'enfant est absent du foyer pour quelque temps.
Les cheminées à foyer ouvert laissent échapper des substances irritantes. Renoncez aux belles flambées en présence de l'enfant et installez un chauffage électrique. Enfin, reportez-vous à la première partie de cet ouvrage en ce qui concerne les mesures à prendre pour lutter contre les acariens, les moisissures, les blattes...

LA MAISON IDÉALE

La chambre :

- sommier à lattes ou à ressorts ; matelas recouvert d'une housse anti-acariens de qualité médicale ; oreiller, couver-

Attention !
Certaines plantes d'appartement peuvent provoquer des réactions allergiques : c'est le cas de *Ficus benjamina* – qui présente une allergie croisée avec le latex –, du caféier, du papyrus et de certains cactus. Heureusement, ces allergies sont rares. Demandez conseil à votre allergologue.

ture et couette en matière synthétique, lavables à la plus haute température possible ;
- voilages plutôt que doubles rideaux aux fenêtres ;
- murs peints.

Le salon :
- pas de cheminée à foyer ouvert ;
- sol lisse lavable ;
- canapé en cuir ou en Skaï.

La cuisine :
- plaque de cuisson électrique ; hotte aspirante.

La salle de bains :
- aucune moisissure ; ventilation mécanique contrôlée ou fenêtre.

Le garage :
- laissez pas tourner le moteur de votre voiture en présence de votre enfant.

Les traitements de l'allergie

Les mesures d'éviction demeurent une priorité du traitement des maladies allergiques. Elles doivent être respectées de manière stricte dès que le bilan allergologique permet d'identifier le ou les allergènes en cause. Parallèlement, le médecin doit mettre en place un traitement médicamenteux adapté et envisager une désensibilisation quand c'est possible.

Les médicaments

LES ANTIHISTAMINIQUES

Ce sont les médicaments les plus anciens, les plus connus et les plus utilisés pour lutter contre les allergies.
L'histamine a été le premier médiateur connu de la réaction allergique. Les médicaments antihistaminiques limitent son action et s'opposent à ses effets, sans en modifier la synthèse. Il est préférable de les administrer avant la survenue des manifestations allergiques.
Les premiers médicaments antihistaminiques provoquaient une somnolence et une sécheresse de la bouche. Ceux de la deuxième génération, prescrits actuellement, sont mieux tolérés, agissent rapidement et pendant une longue durée.

À savoir
Les médicaments antihistaminiques sont efficaces dans le traitement de la rhinite, de la conjonctivite et de certaines formes d'urticaire. Ils permettent également de diminuer l'intensité des démangeaisons lors d'une crise d'eczéma. Ils n'ont en revanche aucune action immédiate en cas de choc anaphylactique.

LE CROMOGLYCATE DE SODIUM

Cette molécule stabilise la membrane des cellules impliquées dans la réaction allergique et limite la libération des médiateurs de l'inflammation.
Très bien tolérés, les médicaments à base de cromoglycate de sodium sont donnés sous forme d'application locale :

Les médicaments antihistaminiques
Les médicaments antihistaminiques sont essentiellement prescrits sous forme de comprimés ou de sirop, mais ils peuvent aussi être administrés par le nez ou les yeux.

s'il s'agit de rhinite allergique, le spray nasal permet d'atteindre les fosses nasales ; en cas de conjonctivite allergique, c'est un collyre qui est administré.

À savoir
Les corticoïdes, sous forme de comprimés ou de gouttes buvables, sont généralement donnés pour une période très limitée. Toutefois, ils sont parfois utilisés sur une durée supérieure à trois mois dans certaines formes d'asthme sévère résistant à tout autre traitement.

LA CORTISONE

Les glucocorticoïdes, dérivés de la cortisone, sont les chefs de file de cette classe médicamenteuse utilisée dans le traitement de l'allergie. Ils possèdent de puissantes propriétés anti-inflammatoires.
Les corticoïdes se présentent sous forme de comprimés, de gouttes buvables, de spray nasal, d'aérosol, de poudre sèche et de produit injectable. Ils réduisent l'afflux des globules blancs, suppriment la vasodilatation des vaisseaux sanguins qui accompagne l'inflammation, diminuent la libération des médiateurs de l'inflammation et la sécrétion du mucus dans le nez et les bronches, et augmentent la sensibilité des bronches aux médicaments broncho-dilatateurs.

Attention !
Les corticoïdes doivent être utilisés avec prudence, sous le contrôle strict du médecin, qui est le seul habilité à juger de leur nécessité, de la posologie, de la durée du traitement et des modalités d'application. Employés à bon escient, ces médicaments sont très efficaces et sans risque. Pris de façon inconsidérée, ils peuvent se révéler dangereux.

La désensibilisation

La désensibilisation, également appelée « immunothérapie spécifique », permet de diminuer durablement les réactions allergiques de l'organisme vis-à-vis d'un allergène et de modifier l'évolution naturelle de la maladie allergique vers une aggravation. Elle est même le seul traitement capable de faire disparaître complètement une allergie. Elle s'adresse aux adultes et aux enfants dont la maladie (rhinite, asthme, conjonctivite, eczéma) est provoquée par un allergène précisément identifié au cours d'un bilan allergologique (interrogatoire, tests cutanés et/ou tests biologiques sanguins).
La désensibilisation consiste à réhabituer progressivement l'organisme à l'allergène mis en cause, en lui administrant des doses croissantes d'un vaccin allergénique, jusqu'à obtenir la dose efficace. L'enfant ayant bénéficié de ce traitement ne présente plus de réaction allergique en présence du ou des allergènes auxquels il est sensible.

À savoir
La désensibilisation, seul traitement de fond de la maladie allergique reconnu par de nombreux experts internationaux, fait l'objet d'un consensus de l'OMS qui précise qu'elle doit désormais faire partie de la prise en charge des maladies allergiques. Malheureusement, plus de 90 % des allergiques qui pourraient bénéficier de ce traitement ne sont pas désensibilisés.

QUI, QUAND, COMMENT ?

La désensibilisation est indiquée quand le mécanisme allergique a été prouvé par des tests cutanés et/ou par un dosage sanguin des immunoglobulines E spécifiques, et lorsque l'éviction de l'allergène est impossible, comme pour le pollen, ou très difficile, comme dans le cas des acariens.
Si on laisse une allergie s'installer, les manifestations peuvent devenir de plus en plus importantes, et d'autres

À savoir
■ On peut être désensibilisé aux acariens, aux pollens, aux moisissures, au venin d'hyménoptère (abeille, guêpe), au chat et au chien, mais il n'existe pour l'instant aucune possibilité de désensibilisation à un aliment.
■ La mise en place précoce d'une désensibilisation permet d'éviter l'aggravation de l'allergie et le risque que celle-ci ne devienne irréversible. D'autre part, elle empêche une rhinite allergique d'évoluer vers de l'asthme.

allergies risquent d'apparaître. Au contraire, plus le traitement de désensibilisation est précoce, plus les chances de guérison sont élevées, et moins il y a de risque d'aggravation. Et même si la guérison n'est pas toujours totale, la désensibilisation permet de diminuer la prise de médicaments et de réduire l'intensité des manifestations.
La désensibilisation est possible dès l'âge de 4 ou 5 ans. Toutefois, rien ne doit se faire dans la précipitation. Il faut d'abord être bien sûr de l'allergène responsable, et il est important que l'état respiratoire de l'enfant soit stabilisé avant le début du traitement.
La désensibilisation aux acariens et aux pollens est une réussite dans 60 à 80 % des cas. Les résultats de la désensibilisation au venin d'hyménoptère sont également excellents : plus de 80 % pour l'abeille et plus de 95 % pour la guêpe.
La meilleure période pour débuter une désensibilisation est la rentrée scolaire, notamment pour les enfants allergiques aux pollens, qui pourront ainsi être protégés lors de la saison pollinique suivante. C'est également un bon moment pour débuter une désensibilisation aux acariens. Cela dit, une désensibilisation peut être envisagée à n'importe quel moment de l'année. C'est au médecin allergologue de décider de la date de mise en route du traitement.

Idée reçue...

Contrairement aux idées reçues, une désensibilisation ne fait en aucun cas apparaître d'autres allergies. Au contraire, elle prévient la survenue de nouvelles allergies.

Une désensibilisation peut s'étaler sur trois à cinq ans, ce qui semble long aux enfants et à leurs parents. Mais l'allergie est une maladie chronique, au même titre que le diabète ou l'hypertension artérielle, et il faut s'armer de patience. Des améliorations significatives sont en général constatées dès la première année de traitement.
Il est indispensable de bien informer les parents du fait qu'ils ne constateront pas toujours d'amélioration avant trois ou quatre mois, et qu'il est nécessaire de continuer le traitement sans se décourager. Ce n'est que la deuxième année que la désensibilisation sera interrompue si elle n'a pas donné de résultat satisfaisant. Dans ce cas, un nouveau bilan allergologique devra être effectué.

Conseil
Il est préférable d'éviter de commencer une désensibilisation peu de temps avant les grandes vacances d'été, car la surveillance du traitement risque d'être plus difficile à effectuer.

LES MÉTHODES

La désensibilisation débute par une phase de traitement d'attaque pendant laquelle les doses d'allergènes administrées sont augmentées progressivement, jusqu'à ce que la dose protectrice la mieux tolérée soit atteinte. Cette

Bien informer

Avant de débuter une désensibilisation, le médecin allergologue doit expliquer aux parents (et à l'enfant, s'il est en âge de comprendre) le déroulement du traitement, avec ses avantages et ses contraintes, et obtenir leur consentement éclairé. Ce consentement peut être demandé par oral ou par écrit, afin que les parents prennent pleinement conscience qu'ils s'engagent sur le long terme – il est d'ailleurs conseillé de leur accorder un délai de réflexion. L'enfant doit être impliqué autant que possible dans la mise en œuvre de son traitement, qui nécessite beaucoup de rigueur.

étape dure de un à trois mois selon la méthode choisie (voir ci-dessous). Elle est suivie par une phase d'entretien, durant laquelle la dose protectrice est donnée à intervalles réguliers.

Certaines réactions peuvent apparaître pendant le traitement. Elles sont le plus souvent anodines mais doivent être signalées au médecin, car on observe exceptionnellement quelques manifestations graves. Des médicaments antihistaminiques ou des traitements de l'asthme peuvent être prescrits parallèlement à la désensibilisation.

Conseil
Il faut rester dans le cabinet médical 20 à 30 minutes après l'injection et ne pas faire de sport pendant les cinq heures qui suivent.

La voie par injection

Cette méthode est la plus ancienne et la plus connue ; elle consiste à injecter des doses de l'extrait allergénique dans le haut du bras à l'aide de seringues et de fines aiguilles. Elle doit être pratiquée au cabinet du médecin et en aucun cas au domicile du malade.

La phase d'initiation **:** on commence par injecter des doses très faibles qu'on augmente progressivement en fonction de la tolérance. Les injections sont d'abord réalisées toutes les semaines, puis progressivement espacées : tous les quinze jours, puis tous les mois, jusqu'à atteindre la dose protectrice.

La phase d'entretien **:** la dose protectrice est injectée tous les mois.

Réactions locales **:** elles sont rares et surviennent en général quelques minutes après l'injection, à l'endroit de la piqûre. Il s'agit alors d'une rougeur et d'un gonflement plus ou moins douloureux. Ces manifestations peuvent être soulagées par des antihistaminiques, mais elles disparaissent de toutes façons spontanément en 24 ou 48 heures.

Réactions générales **:** exceptionnellement, on peut observer une rhinite, une conjonctivite, des démangeaisons

plus ou moins étendues, une urticaire, une gêne respiratoire ou de l'asthme. Ces manifestations peuvent se produire quelques minutes après l'injection ou après le départ du cabinet médical. Selon leur type, le médecin prescrira des antihistaminiques, des broncho-dilatateurs ou des corticoïdes.
Réactions sévères **:** heureusement exceptionnelles, elles nécessitent une injection d'adrénaline et imposent un appel d'urgence au SAMU.

La voie sublinguale

De plus en plus utilisée, cette méthode consiste à déposer quelques gouttes de l'extrait allergénique sur un morceau de sucre ou sur de la mie de pain, puis à laisser fondre pendant 2 minutes sous la langue, sans avaler. Elle s'adresse aux enfants dès qu'ils sont capables de l'appliquer correctement, c'est-à-dire vers l'âge de 4 ou 5 ans, ainsi qu'aux personnes qui ne peuvent pas recevoir des injections régulières (parce qu'elles les trouvent trop contraignantes ou traumatisantes). Le traitement se prend facilement à domicile et est aussi efficace que la voie par injection.

Attention !
Si le produit est avalé au lieu de se dissoudre lentement sous la langue, son efficacité est médiocre.

La phase d'initiation **:** les gouttes sont prises chaque matin à jeun, selon un protocole prescrit par le médecin allergologue. Les doses sont augmentées de façon progressive, jusqu'à obtenir la dose protectrice, pendant un mois environ.
La phase d'entretien **:** la dose protectrice est prise quotidiennement ou trois fois par semaine, selon le protocole proposé.
Réactions locales **:** des démangeaisons sous la langue et une petite gêne dans la bouche ont parfois été observées. Réactions générales : rhinite, urticaire, gêne respiratoire sont exceptionnelles.

Réaction sévère : aucune n'a été observée. Les différentes études ont montré de façon indiscutable la bonne tolérance de ce traitement.

À savoir
Une désensibilisation peut être poursuivie pendant les vacances, selon les modalités fixées par le médecin allergologue. Mais il est parfois préférable d'interrompre provisoirement le traitement lorsque les conditions ne sont pas propices à son bon déroulement.

LA CONSERVATION DES PRODUITS

Conservez les produits dans le bas du réfrigérateur, à une température comprise entre 0 et 5 °C, mais jamais au congélateur, où ils risqueraient de devenir inactifs.
En voyage : transportez les produits dans l'emballage isotherme fourni par le laboratoire, dans un petit thermos, dans une glacière ou dans un sac isotherme pour aliments surgelés. Quelques heures à température ambiante (à condition toutefois que celle-ci ne dépasse pas 25 °C) n'altèrent pas la qualité des vaccins, mais une exposition de plusieurs jours à une température élevée les rend inactifs.

La pompe doseuse

Une nouvelle présentation facilite désormais la prise du traitement par voie sublinguale sans en modifier l'efficacité ni la tolérance : une pompe doseuse préalablement fixée sur le flacon permet de délivrer directement et plus facilement le produit sous la langue. Il suffit de positionner l'embout dans la bouche, de le placer sous la langue et d'appuyer fortement pour obtenir une dose. On effectue le nombre de pressions prescrit par le médecin et l'on garde le produit 2 minutes sous la langue avant d'avaler.

PERSPECTIVES

Les recherches en cours permettent d'espérer la mise au point d'autres traitements de désensibilisation, encore plus efficaces.

Le développement d'allergènes recombinants, synthétisés artificiellement et complètement purifiés, constitue une voie très prometteuse. Par ailleurs, l'utilisation de la partie la plus allergisante de l'allergène permettrait d'obtenir une plus grande efficacité. Enfin, l'utilisation d'anticorps, les anti-IgE spécialement dirigés contre les anticorps spécifiques fabriqués par l'organisme de l'allergique, est également une hypothèse explorée actuellement.

Conseil

Le médecin allergologue doit aider parents et enfants à vaincre les moments de découragement qui peuvent survenir au cours de la désensibilisation, et leur rappeler que ce traitement est actuellement le seul qui soit à la fois préventif et curatif et qui permette d'éviter l'aggravation de la maladie allergique.

Les autres traitements

La méconnaissance des maladies allergiques, le sous-diagnostic imputable à de nombreux médecins, le véritable parcours du combattant imposé aux parents désarmés, la crainte de voir apparaître des effets secondaires ou de créer une dépendance en cas d'utilisation prolongée des médicaments, le désir d'explorer une voie nouvelle ou tout simplement les recommandations d'une personne bien intentionnée poussent de plus en plus de patients, déçus par le système de soins classiques, à recourir aux médecines alternatives.

Si nous reconnaissons aisément que les traitements allopathiques des maladies allergiques sont souvent longs et contraignants, qu'ils nécessitent une surveillance permanente et qu'il y a parfois de quoi se décourager, nous devons sans ambiguïté mettre en garde les parents contre les dangers des solutions « parallèles » qui pourraient paraître plus attrayantes : les maladies allergiques ne peuvent être prises en charge que par des médecins qui les maîtrisent parfaitement et qui mettent en œuvre des moyens qui ont fait la preuve scientifique de leur efficacité. Ces moyens sont conseillés par l'Organisation mondiale de la santé, afin que les allergies n'évoluent pas vers une forme plus sévère et plus invalidante.

Les parents doivent être conscients qu'en « essayant » d'abord d'autres techniques, ils font perdre un temps précieux à leur enfant : rappelons qu'une allergie mal traitée risque de s'aggraver et peut même, comme dans le cas de l'asthme, encore tuer parfois.

À savoir
Jusqu'à aujourd'hui, aucune médecine alternative n'a pu faire la preuve, de façon scientifique, de son efficacité à long terme – contrairement aux médicaments « classiques » qui ont fait l'objet d'études internationales validées.
Une médecine « douce » peut éventuellement compléter un traitement allopathe, mais elle ne peut en aucun cas le remplacer.

Attention !
Un traitement homéopathique isolé, sans contrôle régulier de la respiration, sans mesure du souffle, sans bilan allergologique, sans mesures de prévention ni médicaments allopathes peut être dangereux pour l'enfant asthmatique. En revanche, il peut être associé à un traitement classique quand la prise en charge globale de la maladie est bien établie.

L'homéopathie

Certains enfants allergiques sont soulagés par l'homéopathie, méthode qui consiste à administrer des doses très diluées d'un produit capable de provoquer, à des doses plus élevées, des symptômes proches de la maladie à combattre. Mais ce soulagement ne peut être que momentané, car un traitement homéopathique ne saurait avoir d'effet bénéfique à long terme sur les maladies allergiques ou sur l'asthme – aucune étude scientifique n'a en tous cas pu le confirmer.

L'acupuncture

L'acupuncture consiste à piquer des aiguilles sur des points déterminés du corps, afin de réguler les énergies déstabilisées par une maladie. La stimulation de certains points entraînerait un soulagement immédiat, mais les bénéfices à long terme de l'acupuncture n'ont jamais été prouvés sur les allergies et l'asthme.

La méthode X

Méfiez-vous des méthodes miraculeuses qui permettent soi-disant de guérir l'asthme en trois ou quatre séances. L'une d'elles a particulièrement attiré mon attention.

« *Son inventeur, qui n'est pas un médecin, a découvert que les causes de l'asthme ne sont pas celles que tous les médecins spécialistes du monde entier croient et que les principes actuels de la maladie sont à revoir* [...]

Homéopathie et désensibilisation

L'homéopathie ne peut en aucun cas être comparée à la désensibilisation, qui demeure le seul traitement préventif et curatif conseillé et recommandé par l'OMS.

« L'asthme est provoqué par une anomalie de la cage thoracique dont sont porteurs tous les asthmatiques [...]. Il existerait une malposition des côtes [...] Ainsi le cerveau déclencherait une toux, une réaction de constriction et d'hypersécrétion pour lutter contre cette anomalie.
« [...] il suffirait de masser un point situé sous l'aisselle gauche en effectuant plusieurs inspirations forcées [...]. Trois ou quatre séances d'une heure sont suffisantes pour obtenir une stabilisation durable et un taux de réussite dépassant 90 % [...] »
Selon son « inventeur », une formation spécifique de quelques jours permettrait aux médecins et aux kinésithérapeutes pratiquant déjà des techniques de manipulation ostéo-articulaire d'apprendre cette méthode. Ce charlatan affirme même que les hypothèses et les traitements admis par les médecins experts du monde entier, validés scientifiquement et faisant l'objet d'un consensus de l'OMS, sont faux et dangereux. Bien entendu, il se plaint de n'avoir jamais réussi à faire valider sa méthode, auquel s'opposerait le puissant lobbying des laboratoires pharmaceutiques ! La supercherie semble évidente ! Pourtant, de nombreux parents, déçus par les traitements classiques ou par leur relation avec leur médecin, risquent d'être tentés par cette méthode miraculeuse, surtout si un voisin ou une amie dit l'avoir testée avec succès. Malheureusement, l'enfant va perdre un temps précieux, et sa maladie va continuer à évoluer et à s'aggraver.

À savoir
L'hypnose, la sophrologie ou le yoga peuvent avoir des effets positifs momentanés en développant des techniques respiratoires et en permettant une meilleure prise de conscience du corps. Bien qu'il n'existe pas de preuve scientifique, de nombreux enfants se trouvent ponctuellement soulagés par ces méthodes. Mais il faut les mettre en garde de ne pas arrêter leur traitement classique et de surveiller régulièrement leur fonction respiratoire.

Réagir en situation d'urgence

Les urgences allergiques ont été multipliées par cinq ces dernières années. Les allergies alimentaires sont à l'origine du nombre croissant de réactions sévères.

Attention !
Un enfant dont le débit expiratoire de pointe reste à 50 % de sa valeur théorique ou de sa valeur personnelle doit être immédiatement emmené à l'hôpital à l'aide d'un transport médicalisé.

LA CRISE D'ASTHME

En cas de crise modérée, la respiration de l'enfant est sifflante, et le débit-mètre de pointe est inférieur à 30 % de sa valeur normale. Administrez immédiatement à l'enfant deux bouffées de broncho-dilatateur d'action rapide, ce qui devrait le soulager rapidement. Si aucune amélioration n'est constatée, consultez rapidement votre médecin, car une crise plus sévère peut apparaître.
En cas de crise sévère, l'enfant est essoufflé, sa respiration est sifflante, ses lèvres sont bleutées, ses yeux sont cernés, il a du mal à souffler dans le débit-mètre de pointe et n'arrive pas à dépasser 50 % de sa valeur théorique ; deux bouffées de broncho-dilatateur d'action rapide ne suffisent pas à le soulager : appelez immédiatement le SAMU (faites le 15 depuis un téléphone fixe ou le 112 depuis un portable).

LA CRISE D'URTICAIRE

En cas de crise modérée, si l'enfant présente quelques plaques d'urticaire sur le corps, donnez-lui immédiatement des médicaments antihistaminiques et contactez son médecin.

Attention !

- Lorsqu'un enfant présente un choc anaphylactique, il faut lui faire une injection d'adrénaline le plus rapidement possible et appeler le SAMU. Une hospitalisation est toujours envisagée.
- L'injection d'adrénaline ne doit pas être prescrite sans diagnostic précis, sans information sur son utilisation et sans suivi thérapeutique.

En cas de crise sévère, si les plaques d'urticaire s'étendent sur tout le corps, ajoutez des médicaments corticoïdes par voie orale.

***L'œdème de Quincke* :** si l'enfant présente un œdème du visage et des lèvres, une voix rauque et des difficultés respiratoires, donnez-lui immédiatement des médicaments antihistaminiques et corticoïdes, et appelez un médecin en urgence.

LE CHOC ANAPHYLACTIQUE

C'est la réaction allergique la plus sévère : l'enfant est pâle, en sueur, ses yeux sont cernés, ses lèvres, bleutées ; il présente des difficultés respiratoires, une urticaire importante, et sa tension artérielle est abaissée.

L'injection d'adrénaline est le seul traitement du choc anaphylactique : elle augmente la tension artérielle, améliore l'activité cardiaque, diminue le bronchospasme secondaire à la crise d'asthme et inhibe la libération des médiateurs de l'inflammation.

Un encadrement indispensable

Il est de la responsabilité du médecin de bien expliquer aux parents les symptômes du choc anaphylactique et comment utiliser une seringue d'adrénaline. Des études ont en effet montré que beaucoup d'entre eux méconnaissent les signes de cette réaction, ne savent pas utiliser correctement une seringue et rechignent à faire une injection d'adrénaline. Le médecin ne doit donc pas hésiter à refaire une démonstration une ou deux fois par an et à vérifier que les parents sont à même de réagir à temps, savent manipuler la seringue, connaissent l'endroit et la dose exacte de l'injection.

Seuls les enfants ayant déjà présenté un choc anaphylactique ou ayant eu une réaction allergique sévère doivent conserver une injection d'adrénaline à portée de main (à la maison aussi bien qu'à l'école), car une administration trop tardive du produit pourrait aboutir à une aggravation mortelle des manifestations. Il n'est donc pas question de la prescrire à tous les enfants allergiques.

Attention !
Le médecin allergologue vous prescrira deux seringues d'adrénaline, dont une sera destinée à l'école.

L'INJECTION D'ADRÉNALINE

L'adrénaline se présente sous la forme d'une seringue injectable en kit prête à l'emploi ou d'un stylo auto-injectable.

La seringue injectable

1. Montez le piston du kit selon la posologie et la démonstration conseillée par le médecin.
2. Enlevez le capuchon de l'aiguille.
3. Injectez le produit dans la face antéro-latérale de la cuisse, après avoir vérifié l'absence de sang dans la seringue.

Précautions

- Vérifiez les dates de péremption (l'adrénaline doit être utilisée dans les deux ans qui suivent sa date de fabrication).
- Conservez les kits à une température comprise entre 2 et 8° C. La seringue peut rester quelques semaines à température ambiante s'il ne fait pas trop chaud, à l'abri de la lumière, mais détruisez une trousse laissée hors du réfrigérateur pendant l'été.
- Vérifiez que le produit ne vire pas au brun et ne présente pas de précipité (si c'est le cas, il est inutilisable).

Le stylo auto-injectable

L'ANAPEN existe en France depuis août 2000. Il est très facile d'emploi, puisqu'on déclenche l'administration automatique d'adrénaline simplement en pressant un bouchon. Malheureusement, ce stylo ne peut aujourd'hui être prescrit que par un médecin hospitalier et n'est disponible que dans les pharmacies d'hôpitaux... ce qui parfois représente un véritable parcours du combattant.

Allergie et psychologie

« Docteur, c'est psychologique... Dès qu'il est énervé, il a des plaques d'eczéma... » « Il suffit que je la dispute pour qu'elle fasse une crise d'asthme ! » Nous entendons régulièrement ces phrases en consultation. De nombreux parents sont en effet persuadés que les manifestations allergiques de leur enfant sont dues à des troubles psychologiques ou à un état d'anxiété intense.

Or, les réactions allergiques reposent sur des mécanismes immunologiques précis et sont dues à des allergènes bien réels, que des tests cutanés peuvent déterminer exactement. Il est évident qu'on ne peut nier l'existence d'une relation entre l'état psychologique et la maladie allergique, mais c'est le cas pour toutes les pathologies. Le psychisme joue un rôle important dans le déclenchement, l'aggravation ou l'apparition de nombreux symptômes, mais il ne saurait être rendu responsable de la maladie allergique elle-même.

Attention !
Un eczéma, une toux chronique ou une crise d'asthme sont trop souvent imputés à des problèmes psychologiques. Cette attitude est dangereuse, car il en résulte la plupart du temps une absence ou un retard de la mise en route d'un traitement adapté.

Certains médecins estiment que la part psychologique représente 30 à 50 % du développement d'une maladie. Un enfant mal dans sa peau, replié sur lui-même, « psychologiquement fragile » est ainsi plus exposé aux crises d'asthme si son état immunologique et biologique le prédispose à développer cette maladie. D'autre part, les rires ou les pleurs d'un enfant asthmatique sont également des facteurs d'irritation bronchique non spécifiques, au même titre que l'air froid et sec ou le tabac.

D'une manière inverse, un enfant présentant une dermatite atopique importante supporte mal le regard des autres et a tendance à se replier sur lui-même : dans ce cas, c'est la maladie qui crée une angoisse qui, à son tour, aggrave les manifestations. De nombreuses études ont mis en évidence la fréquence élevée de troubles paniques chez les enfants allergiques : leur état psychique est modifié par leur peur d'avoir soudainement une crise d'asthme, d'eczéma ou d'urticaire.

APPRENDRE À VIVRE AVEC SES ALLERGIES

Les enfants allergiques (et leurs parents) doivent apprendre à vivre pendant de nombreuses années avec leur maladie chronique. Ils ont besoin d'être rassurés, de bien connaître leur pathologie et les traitements qui permettent de soulager ses différentes manifestations. L'écoute des patients est donc aussi indispensable que l'établissement d'un traitement médicamenteux, c'est pourquoi on parle de prise en charge globale.
Le médecin doit consacrer le temps et l'énergie nécessaires pour établir une relation de confiance susceptible d'apaiser enfants et parents. Le recours de plus en plus fréquent aux médecines alternatives s'explique en grande partie par le fait que certains médecins se préoccupent malheureusement davantage des symptômes que des malades. Pourtant, s'il est vrai qu'une influence psycho-

Conseil

Il est important de ne plus considérer un enfant allergique comme un malade manifestant des symptômes, mais comme un être humain qui souffre et qui a autant besoin d'être traité médicalement que d'être écouté, rassuré et compris.

logique bénéfique ne permet pas de guérir une maladie allergique, elle représente une valeur ajoutée indispensable.
Apprendre à l'enfant à mieux se connaître ne peut qu'améliorer la gestion de sa maladie. Le recours à l'aide d'un psychologue est parfois conseillé lorsqu'un jeune patient, fragilisé psychologiquement, présente des manifestations allergologiques récidivantes, difficilement maîtrisables et sévères.

Conclusion

Un Français sur deux risque d'être touché par les maladies allergiques en 2010. Bien qu'une telle hypothèse fasse frémir, il est illusoire de croire que l'on pourrait éviter une situation qui paraît irréversible, car les progrès continueront à exposer nos enfants à de nouveaux allergènes. Contre l'explosion de ces derniers, la prévention demeure une arme capitale.

Beaucoup trop d'enfants allergiques ne sont pas pris en charge correctement. Tous les responsables de leur santé (familles, médecins généralistes, pédiatres, médecins scolaires, etc.) doivent collaborer étroitement pour que le diagnostic soit évoqué suffisamment précocement, dès le plus jeune âge, et que des traitements soient mis en œuvre le plus rapidement possible. Rappelons à ce propos que des progrès considérables ont été effectués dans la recherche thérapeutique au cours de ces dernières années, et que la désensibilisation, recommandée par l'Organisation mondiale de la santé, doit faire partie intégrante du traitement des allergies.

L'allergologie est une médecine reconnue, sérieuse, qui repose sur des données scientifiques, épidémiologiques et cliniques. La participation du médecin allergologue à la lutte contre les allergies est indispensable et doit devenir plus importante. Véritable « sentinelle de l'environnement », ce praticien connaît bien les difficultés que rencontre le patient allergique dans sa vie quotidienne. Dans la plupart des cas, il peut l'aider à guérir ; à défaut, il mettra tout en œuvre pour qu'il vive mieux avec sa maladie et que celle-ci ne soit plus un handicap.

Glossaire

Allergène : substance qui entraîne une réaction allergique. Les pollens, les spores des moisissures, les acariens de la poussière domestique, les protéines animales et les venins d'hyménoptères représentent les allergènes les plus communs et sont constitués eux-mêmes d'une mosaïque d'antigènes.

Anticorps : protéine fabriquée par certains globules blancs, les lymphocytes, et dont l'extrémité s'adapte de façon très fine à la forme d'un antigène rencontré par ces derniers. Un anticorps est absolument spécifique de l'antigène contre lequel il est dirigé. On l'appelle aussi « immunoglobuline ».

Antigène : substance étrangère, capable d'induire une réponse immunitaire chez un sujet normal. La réponse immunitaire peut être humorale (et entraîner la production d'anticorps) ou cellulaire (et activer les lymphocytes).

Atopie : état caractérisé par la prédisposition héréditaire aux maladies allergiques induites par les IgE. Il s'agit essentiellement de la rhinite et de l'asthme allergique, de l'eczéma atopique et de l'allergie alimentaire.

Extrait allergique : produit préparé à partir d'un allergène originel et utilisé dans le diagnostic et le traitement des maladies allergiques. La qualité d'un extrait varie selon sa nature et les difficultés de sa préparation.

IgE : voir Immunoglobuline E.

Immunoglobuline : famille de protéines à laquelle appartiennent les anticorps.

Immunoglobuline E (IgE) : classe d'immunoglobuline dont la quantité augmente le plus souvent en présence d'une allergie.

Inflammation : réponse fondamentale du corps humain envers une série d'agents exogènes ou endogènes. L'inflammation allergique prend une place très importante dans l'asthme, l'eczéma, la rhinite.

Lymphocyte : globule blanc qui reconnaît les substances extérieures (antigènes) par l'intermédiaire des anticorps et des récepteurs spécifiques. Il orchestre la réponse immunitaire.

Pneumallergène : allergène inhalé entrant en contact avec le corps humain par voie respiratoire.

Symptôme : manifestation d'une maladie telle qu'elle est ressentie par le patient.

Syndrome : ensemble de signes et de symptômes évocateurs d'une maladie ou commun à plusieurs maladies.

Trophallergène : allergènes alimentaires.

Associations

AFP – Association française des polyallergiques

Elle collabore avec l'AFRAL et édite avec celle-ci une brochure destinée à aider les parents dont les enfants allergiques rencontrent des problèmes à l'école. Cette brochure de 15 pages est en vente au prix de 4 euros (frais de ports inclus) auprès de ces deux associations.

Maison des Associations
2 bis, rue du château - 92200 Neuilly-sur-Seine
Tél. : 01 47 22 99 00

AFPADA – Association française des personnes atteintes de dermatite atopique

Cette association est destinée aux adultes ou parents d'enfants touchés par l'eczéma atopique. Elle regroupe l'ensemble des informations (médicales, scientifiques, pharmaceutiques, industrielles) concernant cette maladie.

Siège : 10, rue de la Paix - 75002 Paris
Bureaux : BP 36 - 77310 Saint-Fargeau

AFPRAL – Association pour la prévention des allergies

Créée en 1911 à l'initiative d'adhérents français de la Fondation pour la prévention des allergies de Bruxelles (voir ci-dessous), avec laquelle elle diffuse une revue trimestrielle, Oasis, cette association indépendante a la même philosophie et les mêmes objectifs.

BP 12F - 91240 Saint-Michel-sur-Orge
Tél. : 01 48 18 05 84
Fax : 01 48 18 06 14
www.prévention-allergies.asso.fr

ANAICE – Association nationale des allergologues et immunologistes cliniciens exclusifs

Des médecins allergologues répondent aux questions. Prochainement, des conseils aux malades et des fiches de régime seront disponibles sur le site internet.

www.anaice.org

Association asthme et allergies

L'association Asthme a été créée en 1991 pour répondre aux différents problèmes posés par l'asthme en France. Dix ans plus tard, elle est devenue l'association Asthme et allergies, qui a pour objet d'établir un vaste programme d'information et d'éducation dans ce domaine. Elle émet de nombreuses brochures d'information et une excellente revue bimestrielle, Asthme et allergies info.

3, rue Hamelin - 75116 Paris
Tél. : 01 47 55 03 56
Fax : 01 44 05 91 06
E-mail : asthme@easynet.fr

Pour obtenir des informations sur l'asthme et les allergies, l'association a mis en place, avec la collaboration du ministère de la Santé, un numéro Vert gratuit : 0800 19 20 21.

Fondation pour la prévention des allergies

Créée en 1989 en Belgique francophone, cette association a pour objectif de mieux faire connaître l'allergie, mais aussi de réconforter les enfants et les adultes en les aidant à mieux vivre avec leur maladie. Elle diffuse une revue trimestrielle, Oasis, en collaboration avec l'AFPRAL (voir ci-dessus).

55, rue du Président - 1050 Bruxelles
Tél. : 02 511 67 61
E-mail : svanrok@hotmail.com

SOS allergies : 0825 000 364

Créée en 1998, cette association a pour objectif de sensibiliser les acteurs de l'industrie agroalimentaire aux problèmes de l'allergie alimentaire.

Sites internet

www.asmanet.com
www.allergonet.com
www.allergienet.com
www.abcallergie.com
www.rnsa.asso.fr
www.cicbaa.com

Index

A

B

C

D

E

F - G

H

I - J - K

L

M

O

P

R

S

T

U

V

Photocomposition C*MB* Graphic
44800 Saint-Herblain

Achevé d'imprimer en mars 2002
par Normandie Roto Impression s.a.
N° d'imprimeur : 020575
Dépôt légal : mars 2002